AF496748

Ueber den Begriff

der Logik

und ihre Stellung zu den anderen philosophischen
Disciplinen.

Von

Dr. Johann Heinrich Loewe,

Professor der Philosophie am k. k. Lyceum zu Salzburg.

Wien, 1849.

Wilhelm Braumüller,
k. k. Hofbuchhändler.

Gedruckt bei Anton Benko.

Vorbemerkung.

Gegenwärtige Abhandlung, die auf den Wunsch mehrerer Freunde hiermit der Oeffentlichkeit übergeben wird, bildet die Einleitung zu einer ausführlichen Darstellung der Logik, welche der Verfasser demnächst bekannt zu machen gedenkt. —

Eine gangbare und gemeinfaßliche Erklärung nennt die Logik die Wissenschaft von den Gesetzen des Denkens. Durch diese Definition scheint nicht nur der Gegenstand dieser Doktrin zur Genüge bezeichnet, sondern auch ihre Stelle im Gebiete der Wissenschaften überhaupt, und mithin ihr Werth für immer gesichert. Denn welche Ansicht man auch von den Quellen unserer Denkthätigkeit und der objektiven Bedeutung ihrer Resultate haben mag — daß wir mit Bewußtseyn und Absicht Vorstellungen verknüpfen, und für diese Verbindungen eine nicht bloß von uns, sondern von jedem denkenden Wesen anzuerkennende Giltigkeit in Anspruch nehmen, ist eine Thatsache, der wohl Niemand widersprechen wird. Die letztere Anforderung wird jedoch ganz unmöglich, wenn dem Denken gestattet würde, nach Art einer launenhaft spielenden Willkühr zu verfahren; vielmehr spricht sich darin das unzweideutige Bewußtseyn aus, daß dasselbe an unwandelbare Bedingungen gebunden sey, die, weil sich ihnen das Denken als eben so vielen unwidersprech-

6

lichen Gesetzen zu unterwerfen hat, seinen Produkten eben jene allgemeine Giltigkeit verbürgen. Hiermit ist nun zugleich nicht nur die Möglichkeit, sondern sogar die Nothwendigkeit einer Doktrin begründet, welche die Darstellung dieser Gesetze sich zur Aufgabe macht; da zuförderst die Kenntniß derselben an und für sich einem Jeden, dem es um Selbstverständniß zu thun ist, wichtig seyn muß, und überdieß insbesondere dem Denken selbst nur zu Gute kommen kann.

So klar indeß und erschöpfend die gegebene Erklärung der Logik erscheint, so zeigt sich dennoch bei genauerer Erwägung, daß sie für sich allein weder die von ihr ausgesprochene Aufgabe entschieden festzustellen und gegen alle Anfechtung zu schützen, noch über die Art, wie sie befriedigend zu lösen sey, zuverläßige Auskunft zu ertheilen vermag, sondern in dieser doppelten Beziehung von ausgedehnteren und tiefer eindringenden Erörterungen Hilfe erwarten muß.

Denn es frägt sich zuerst: ob jene Gesetze bloß für faktisch vorhandene, der Erkenntniß verschlossene Nothwendigkeiten zu achten sind, welche keine weitere Untersuchung über ihren Ursprung gestatten, über die Wurzeln, durch welche sie mit dem gesammten geistigen Leben zusammenhängen, und auf denen ihre Berechtigung dem Denken zu gebieten sich gründet; in welchem Falle die Logik nur wie eine beschreibende Naturgeschichte ihnen gegenüber sich zu verhalten, und ihr Geschäft beendet hätte, sobald keines derselben übersehen, sondern alle in einer wohlgeordneten Übersicht zusammengestellt wurden.

Indem aber diese Frage zuletzt darauf hinausläuft, das Verhältniß der Denkgesetze zur Natur des denkenden Subjektes zu erforschen, knüpft sich daran sogleich die zweite: ob ein allseitiges Verständniß derselben möglich sey, ohne außer der eben gedachten Beziehung auch die Mannigfaltigkeit des Stoffes zu beachten, welcher dem Denken dargeboten wird, und dessen Bearbeitung durch jene Gesetze geregelt werden soll; oder ob nicht im Gegentheile eine ungetrübte Erkenntniß der letztern von der Bedingung abhänge, daß die Thathandlungen des Denkens, aus allem Zusammenhange mit dem denkenden Subjekte sowohl wie der concreten Eigenthümlichkeit der gedachten Objekte losgerissen, in ähnlicher Weise etwa wie algebraische Größen einander gegenübergestellt werden.

Endlich geht auch diese Frage nothwendig in die

dritte über, deren Beantwortung zugleich maßgebend für die Werthschätzung aller logischen Untersuchungen überhaupt sich erweisen muß —: welche Ausdehnung man nämlich dem Gebiete einräumen will, innerhalb dessen jene Gesetze ihre Herrschaft ausüben; ob der Lohn, welcher dem Denken für die pünktliche Erfüllung der letztern verheißen wird, sich bloß auf die einseitige Befriedigung beschränke, seiner eigenen Natur entsprochen zu haben, oder ob es an seiner innern Gesetzgebung den treuen Widerschein einer den Welthaushalt im Großen ordnenden besitze, so daß in den logisch bestimmten Verhältnissen der gedachten Dinge auch der Zusammenhang der wirklichen gegeben sey.

Vergeblich würde man dem Gedränge dieser Fragen durch die Ausflucht sich zu entziehen suchen: daß die Beantwortung derselben nicht der Logik, sondern der Psychologie und Metaphysik zustehe. Denn abgesehen von der Willkühr und Naturwidrigkeit, mit welcher eine solche Ansicht ihre starren Abmarkungen zwischen den einzelnen philosophischen Disciplinen befestigen, und diese wie völlig von einander gesonderte Gebiete behandeln möchte, hat eine jede Wissenschaft das unbestreitbare

Recht, zu verlangen, daß bei dem Prozesse, in welchem über ihren Begriff und ihre Würde ein Endurtheil gefällt werden soll, auch ihre Stimme gehört, und insbesondere über Fragen, von deren Lösung ihre innere Constituirung abhängt, nur auf ihrem eigenen Grund und Boden entschieden werde.

Wollte man aber auch alle innern Gründe einstweilen bei Seite setzen, so müßte schon ein Blick auf die neueste Entwicklungsgeschichte der Logik jeder Bearbeitung derselben die Pflicht auferlegen, in eine Erörterung der dargestellten Fragepunkte einzugehen. Denn so entschieden hat sich diesen das allgemeine Interesse zugewendet, und sie dermaßen in den Vordergrund gerückt, daß ein Vorübergehen an ihnen nur als unentschuldbare Unwissenheit oder anmaßendes Selbstgenügen geduldet werden könnte. Es müßte denn wider Vermuthen noch Jemand gefunden werden, der alles Ernstes an die oft besprochene Behauptung Kants (*) sich anschlöße, nach welcher die Logik seit den Zeiten des Aristoteles weder einen folgenreichen Rückschritt gemacht, noch einen

____

(*) Kant, Vorrede zur zweiten Auflage d. Kr. d. rein. Vern. Riga 1794. S. VIII.

wesentlichen Fortschritt errungen, und somit in der Hauptsache vollkommen mit sich abgeschlossen habe — eine Behauptung, die abgesehen von dem, was selbst auf den unbestrittenen Gebietstheilen dieser Wissenschaft seither geleistet worden, einfach durch die bemerkte Thatsache widerlegt wird: daß gerade mit jenen Fragen über Begriff, Grenzen und Behandlung der Logik — worüber doch eine fertige Doktrin vor Allem im Reinen seyn sollte — fortwährend die lebhaftesten und in die entgegengesetztesten Richtungen auseinander weichenden Diskussionen sich beschäftigen.

Ja nicht einmal Kants eigenes Beispiel möchte, strenge genommen, geeignet seyn, den von ihm gewagten Ausspruch zu bestättigen. Denn daß eine Einschränkung der Logik auf eine Lehre bloß von der Form des Denkens, mit Abstraktion von allem realen Inhalte desselben — wie sie Kant dringend einschärfte — keineswegs im Sinne des Aristoteles gelegen, geht aus zahlreichen und unzweideutigen Äußerungen des letztern hervor, welche sattsam beweisen, wie sehr der Vater der Logik, weit entfernt, jene schroffe Sonderung des Denkens von der Erkenntniß vorschreiben zu wollen, vielmehr ernſtlich bemüht geweſen ſey, den Zuſammenhang beider unverrückt im Auge zu behalten (*). Auch war eine ſo unnatürliche Zerſplitterung gewiß dem ſokratiſchen, überall nach einer höchſten Einheit des Wiſſens ringenden Geiſte fremd, welchen der Stagirit, bei aller ſonſtigen Verſchiedenheit der Grundanſchauungen, dennoch von ſeinem großen Meiſter ererbt hatte. Nur eine einſeitige Berückſichtigung jener Theile in den logiſchen Schriften des Ariſtoteles, deren Inhalt von ſelbſt eine vorherrſchend formale Behandlung begünſtigte, hat wahrſcheinlich das Mißverſtändniß veranlaßt, als ſey auf Jenen der Urſprung einer Anſicht zurückzuleiten, welche in ſo nachdrücklicher und durchgreifender Weiſe eigentlich erſt von Kant geltend gemacht wurde. Und zwar dürfte man hierin mit Recht nur eine unvermeidliche Conſequenz der Erkenntniß ⸗ theoretiſchen Vorausſetzungen erblicken, deren Herrſchaft an ſo vielen Punkten des Kritizismus hervor bricht. Erkenntniß ſoll nur möglich ſeyn, von dem, was von Außen her durch die ſinnliche Wahrneh

---

(*) Vergleiche Trendelenburg logiſche Unterſuchungen. S. 18—21.

mung dem Denken überliefert wird. Aber nicht das äußere Reale, als solches, sondern nur so wie es innerhalb der Formen unserer sinnlichen Anschauung gefaßt, und gemäß den apriorischen Verstandesformen begriffen wurde, darf als Objekt der Erkenntniß gelten. Was jenes Reale an sich sey, wie sich etwa seine ursprüngliche Form zu derjenigen verhalte, die wir nach seinem Durchgange durch jene doppelte Subjektivität ihm zuschreiben, ist eine Frage, welche jede Forschung, die sich selbst versteht, von sich abweisen müsse. Denn zu dem Seyn außerhalb des Denkens mit dem Denken heranbringen wollen, hieße versuchen, die Schranken der Subjektivität durch dieselben Mittel zu durchbrechen, die eben unüberwindlich innerhalb jener uns gefangen halten. Welches also auch die Verhältnisse der Dinge an sich seyn mögen, für uns wird es niemals andere geben, als die Configurationen, in denen sie in dem Spiegel der allgemein menschlichen Subjektivität sich abschildern, so daß, wie Kant selbst sich ausdrückt (*), der Verstand nicht seine Gesetze aus der Natur entlehnt, son-

---

(*) Kant's Prolegomena §. 36.

dern sie dieser vorschreibt, nehmlich jener, möchten wir hinzufügen — die sich von ihm will begreifen lassen.

So viel Wahres nun — insonderheit wenn es gilt, müßige Fragen nach irgend einer utopischen Wirklichkeit abzuweisen — auch für einen andern Standpunkt in der Bemerkung liegen mag: daß das Denken zunächst doch nur für sich selbst Bürgschaft leisten könne, bei dieser aber vollkommen sich beruhigen dürfe — hier war die Bedeutung derselben durch das antipodische Verhältniß getrübt, in welchem von vornherein Seyn und Denken wie eine formlose Materie einer inhaltlosen Form sich gegenüberstanden. Daher wurde die Verbindung Beider auch nicht durch eine innere wechselseitige reale Beziehung vermittelt, sondern schien lediglich von der ganz äußerlichen Nothwendigkeit herbeigeführt: die supponirte Leere der Form durch irgend ein Stoffliches auszufüllen; und nicht einer dem Seyn an sich eigenthümlichen Gedankenmäßigkeit war dessen Willfährigkeit zu verdanken, sich in entsprechende Formen des Denkens zu schmiegen, sondern allein der auf ihrem Gebiete unumschränkt waltenden Macht der Subjektivität. —

Nur an einem einzigen Punkte des Systemes, der

14

teleogifchen Naturbetrachtung, mochte es für einen Au=
genblick den Anfchein gewinnen, als follte durch die Idee
vom immanenten Zwecke der ftarre Formalismus durch=
brochen, und den Rechtsanfprüchen der objektiven an die
fubjektive Welt endlich einmal die langvorenthaltene An=
erkennung zu Theil werden. Doch mußte diefe Täuschung,
wenn fie noch Jemand befiel, gar bald vor der fcharfen
Betonung fchwinden, mit der die Warnung hervorge=
hoben wurde: in jener Idee kein conftitutives, fondern
bloß ein regulatives Princip zu erblicken, einzig be=
ftimmt, den Verftand zu einer folchen Bearbeitung des
Erfahrungsmateriales anzuleiten, als ob wirklich Ver=
nunft die Dinge und ihre Verhältniffe geordnet habe(*).
So verfchloß fich die halb geöffnete Pforte von Neuem,
und die Ifolirung des Subjektes war auch von diefer
Seite vollendet, während in der Sphäre der Objektivi=
tät als letzter Halt nur noch das fogenannte Ding an
fich, ein unerreichbarer und daher für das Denken nicht
weiter in Frage kommender Reft zurückblieb.

____

(*) Vergl. Kr. d. Urtheilskraft. Einleitung **IV.**, §. 76.
Anmerkung am Schluße, und a. D.

Unter solchen Voraußsetzungen kann es nicht befrem=
ben, wenn die Logik bei der ihr zugewiesenen Darstel=
lung des subjektiven Faktors der Erkenntniß den objekti=
ven gänzlich ignorirte, und weit entfernt, dem Gedanken
an einen etwaigen Parallelismus Beider Raum zu ge=
ben, vielmehr für ihre Pflicht erachtete, das Denken
von Allem loszuschälen, was als realer Inhalt ihm erst
Bedeutung für die Erkenntniß verlieh. —

Hiermit war jedoch immer noch nicht Alles für eine
rein formale Behandlung der Logik vollbracht. Kants
Eintheilung in eine allgemeine und transscendentale Logik
ergänzte das Fehlende. Denn dadurch wurde zuvörderst
ein, wiewohl nur scheinbarer Rest von objektiver Bezie=
hung aus der ersteren entfernt und in die letztere verlegt,
indem an jene die verschärfte Forderung erging: schlech=
terbings von aller Qualität des Denkinhaltes, also selbst
von der allgemeinsten Bestimmung zu abstrahiren, ob
derselbe ein empirischer sey oder nicht, diese aber hierauf
allerdings reflektiren sollte; da sie bloß r e i n e Verstan=
desbegriffe, d. i. solche zu behandeln hätte, deren Wur=
zeln lediglich im Verstande und in keinerlei Anschauung,

sey es reiner oder empirischer, zu suchen seyen (*). Weil aber ferner die transscendentale Logik ausschließend angewiesen wurde, den Ursprung, Umfang und die objektive Giltigkeit jener apriorischen Begriffe darzulegen, in denen man zugleich die höchsten Formen erkennen mußte, welche das Denken in letzter Instanz beherrschten; war offenbar auch alle Untersuchung über den Zusammenhang der Denkgesetze mit der Natur des denkenden Subjektes aus der allgemeinen Logik ausgeschieden. Nun erst, nachdem aus dem Gesichtskreise der letzteren mit dem Objekte auch das Subjekt entschwand, hatte die Abstraktion ihren Gipfel erreicht, und die allgemeine Logik wenigstens mochte versucht werden, sich als Wissenschaft von der reinen Form des Denkens zu brüsten. —

Daß sie jedoch einstweilen damit nur sich gebrüstet habe, und keinesweges ihr hochtönend Wort zu erfüllen im Stande war, zeigte die Ausführung. Denn nicht schwer fiele es, indem man Schritt vor Schritt sie ver-

----

(*) Vergl. Krit. d. reine Vern. Transscendentale Logik. Einleitung II.

folgte, die puriſtiſch = formale Logik zu überweiſen, daß ſie, einige Paradeſtücke der Urtheils = und Schlußformen etwa abgerechnet, in allen übrigen Theilen nicht umhin konnte, den widerſtrebenden Blick auf das verpönte Ob= jekt und Subjekt zu richten, und ohne dieſe Stützen und Hilfen nirgends ſich aufrecht zu erhalten oder ihren Weg fortzuſetzen vermochte (*). —

Der Widerſpruch, darin die im excluſiven Forma= lismus ſich gefallende Logik mit ihren eigenen Forde= rungen verſtrickt wurde, dazu die unerquickliche Dürre und Kahlheit ihrer Reſultate, war nicht geeignet, die ungerechtfertigte Willkühr ihres Verfahrens gegen den Wunſch nach einer lebensfriſcheren und dem wiſſenſchaft= lichen Bedürfniſſe entſprechenderen Bearbeitung zu ſchüt=

(*) Einſtweilen genüge hier, um nur das Bekannteſte hervorzuheben, an die Erörterung der Grundgeſetze des Den= kens, die Unterſcheidung zwiſchen weſentlichen und zufälligen Merkmalen eines Begriffes, die Regeln über Generaliſation und Determination, ferner an die Beſtimmungen über Er= klärungs = und Eintheilungsgründe, ſo wie an die Beweiſe aus unvollſtändiger Induktion und Analogie und deren Prin= zip, zu erinnern. Vergl. Trendelenburg's logiſche Unterſ. S. 4—22.

18

zen. Gleichwie aber gar oft dasjenige, was früher ein=
mal in eine excentrische Stellung versetzt worden, erst
nach mancherlei und bis in den extremsten Gegensatz ab=
springenden Schwankungen, in die Lage des natürlichen
Gleichgewichtes zurückkehrt, so gelang es auch der Logik
nicht, von dem Abwege, auf welchen sie gerathen war,
mit Einem glücklichen Schritte in den rechten Pfad
einzulenken. Die Herrschaft des einseitigen Kantischen
Subjektivismus zerfiel, um der für die Logik nicht min=
der verderblichen Despotie des Hegel'schen Objektivismus
Platz zu machen. Konnte früher vor den Prätensionen
des Subjektes das Objekt nirgends zu seinem Rechte ge=
langen, so mußte jetzt das Subjekt all seine Freiheit
und Selbstständigkeit aufgeben an die eherne Nothwen=
digkeit, welche sein Daseyn wie das des Objektes nach
einem, für Beide gleichgeltenden Gesetze in monotonem
Rythmus zu pulsiren zwang. Seyn und Denken, die dort
wie zwei abgesonderte Welten auseinanderwichen, schmol=
zen hier zu einer unterschiedslosen Einheit zusammen, und
luftige Gedanken=Evolutionen sollten zu wesenhaften Ent=
wicklungen des Seyns sich verdichten. Hatte die Logik
bisher so wenig eine gesicherte Stellung errungen, daß

sie bald hierhin bald dorthin verwiesen, zuletzt mit einem
Plätzchen in der Vorhalle des philosophischen Lehrgebäu-
des sich begnügen mußte, so schlug sie nun, aus einer
Dienerin zur Herrscherin erhoben, als philosophia prima
oder Fundamental-Wissenschaft, im Mittelpunkte aller
philosophischen Forschung ihren Thron auf. Große Hoff-
nungen knüpften sich an diese Umwälzung. War es doch,
als müßte mit dem, vor unseren Augen sich auseinander-
legenden Räderwerke der Gedanken zugleich das Getriebe
des Universums sich enthüllen, und vor dem Lichte des
sich selbst beleuchtenden Bewußtseyns das vordem finster-
starre Seyn plötzlich bis in seine innersten Tiefen erhellt
und in lebendigsten Fluß gebracht werden. — Die Kühn-
heit eines solchen Unternehmens, dazu die kraftvollste
Beharrlichkeit, und eine seltene architectonische Kunst in
der Ausführung konnten nicht anders als einen glänzen-
den Erfolg erobern. Besonnenere ließen sich von der
scheinbaren äußeren Vollendung des Riesenbaues nicht
abhalten, einen prüfenden Blick auf das Innere und vor
Allem auf die Fundamente desselben zu werfen. Eine
ausführliche Darstellung des hierüber durchgeführten
Kampfes und seiner Ergebnisse läge außerhalb der durch

ben gegenwärtigen Zweck gezogenen Grenzen; doch mögen hier jene Resultate in Kürze angedeutet werden, welche auch bei der vorliegenden Bearbeitung den Anschluß an die Hegel'sche Betrachtungsweise der Logik widerriethen.

Zuvörderst ist nämlich durch sich selbst klar, daß die reale Identität von Subjekt und Objekt, wie sie zuletzt auf dem Gipfelpunkte des Systemes in der Apotheose des absoluten Wissens ihre vollständige Verwirklichung erhalten soll, den monistischen Standpunkt involvire. Hätte man nun hierin wirklich ein durch das System selbst erzeugtes Resultat, die höchste Frucht seiner organischen Entwicklung zu erkennen, die auf keine Weise in dasselbe hineingetragen, naturwüchsig seinem Boden entsproß, so dürfte die Kritik nicht gegen das Ziel, sondern nur gegen den Weg sich wenden, auf welchem es erreicht wurde, um allenfalls durch Aufweisung der Unsicherheit des letzteren die Haltbarkeit des ersteren zu erschüttern. Allein die oberflächlichste Bekanntschaft mit dem Systeme muß in dem bezeichneten Standpunkte nicht sowohl die Krone als die Wurzel — den leitenden Gedanken und das Grundprincip entdecken, das von vornherein die ganze Anlage beherrscht, und als ein schlechthin gesetzter Anfang vor allen Anfang sich hinstellt. In dieser Weise vorweggenommen erscheint jedoch der Monismus als eine keineswegs unvermeidliche Voraussetzung wenigstens für Solche, denen die entgegengesetzte Ansicht von einer anzuerkennenden Mehrheit realer Principe nichts Widersprechendes in sich schließt, und die daher den Gedanken sich offen erhielten an eine dem qualitativen Unterschiede der Substanzen entsprechende Differenz, sowohl in den Formen ihrer Subjectobjektivität, wie in den Prozessen, durch welche sie dieselben verwirklichen.

Wenn aber auch das Gewicht dieses Einwurfes minder hoch angeschlagen werden dürfte von Jenen, die der monistischen Weltansicht an sich nicht abhold sind, so ist dafür ziemlich allgemein die Unmöglichkeit des Problemes anerkannt: die reine Form durch immanente Selbststeigerung allen realen Inhalt aus sich erzeugen zu lassen. Daher auch gegen diesen Punkt und gegen die Methode, durch welche das weltschöpferische Wunder zu Stande kommen sollte, die Kritik mit dem entschiedensten Erfolge angekämpft hat, obgleich wie uns dünkt, in der Beurtheilung derselben nicht überall das rechte Maß getroffen wurde, und wir für einen späteren Ort die Nachweisung uns vorbehalten: wie zwischen der dialektischen Methode überhaupt und dem davon gemachten Gebrauche zu unterscheiden gewesen wäre, so daß sie innerhalb gewisser Grenzen gar wohl noch eine Wahrheit werden könnte.

Inzwischen ist jedenfalls so viel gewiß, daß sie über keine Reagentien zu verfügen hatte, um aus dem reinen Aether des Gedankens irgend eine solide Wirklichkeit zu präcipitiren. So oft daher die, in das Leere hineingezeichneten Schemen wie wohlbekannte kernhafte Gestalten uns entgegenzutreten scheinen, ist diese Metamorphose nicht das Werk des reinen Denkens. Vielmehr hat die Kritik, dicht an das Schattenspiel herantretend und hinter die gleißenden Larven spähend, ihre innere nur von erborgtem Leben künstlich erfüllte Hohlheit schonungslos aufgedeckt (*). Denn entweder zeigte sich der scheinbar reale Inhalt als die Zuthat heimlich mitarbei-

____

(*) Vergleiche Exner: Die Psychologie der Hegel'schen Schule — und vor Allen Trendelenburg's logische Untersuchungen, so wie dessen: Die logische Frage in Hegel's System.

tenber Phantasie — oder ein, der synthetischen Dialek-
tik in der Stille vorausgegangener analytischer Prozeß
hatte von dem in der Erfahrung Gegebenen zu immer
höheren Allgemeinheiten sich erhoben, und die Erinne-
rung leistete nun stufenweise den Wiedererfatz dessen, was die verschwiegene Abstraktion allmählig fallen
gelassen hatte — oder man war sogar mit einem küh-
nen Griffe in die Wirklichkeit der Ohnmacht der immanenten Denkbewegung zu Hülfe gekommen, und zwang
den Raub sich dem Prokrustesbette der Methode anzube-
quemen. So mußte ein System, das mit dem stärksten
Nachdrucke seine vielbesprochene Voraussetzungslosigkeit
betonte, überall die Voraussetzungen sich aufzeigen lassen, an die es bei jedem Schritte sich angelehnt hatte.

Endlich (um noch einmal auf die Wurzel aller dieser Verirrungen zurückzukommen) dürfte selbst aus dem
Zugeständnisse der durchgängigen Wesensidentität von
Subjekt und Objekt, noch keineswegs gefolgert werden: daß die Bewegungen des Einen Prinzipes in den
beiden Sphären seines Daseyns sich an allen Punkten
vollständig decken müßten. Denn sehr verschieden könn-
ten immerhin die Prozesse seyn, mittelst deren das Seyn

in objektiver Richtung sich äußerlich auseinander=
legt, von jenen, durch die es in subjektiver Rück=
kehr seine Verinnerung durchsetzt, wenn gleich die
Resultate überall zusammenstimmten. Und in der That
hat es auch an dem Nachweise nicht gefehlt; welche ge=
waltsame Umstellung, welche erkünstelte Deutung nicht
selten die Denkformen in der Hegel'schen Logik erfuhren,
um sie den ihnen zugetheilten Rollen gerecht zu machen (*).

Fassen wir jetzt das Resultat unserer Bemerkungen
über die durch Kant und Hegel vertretenen Betrachtungs=
weisen der Logik zusammen, so läßt es sich in Kürze fol=
gendermaßen aussprechen. Das Denken wird bedeutungs=
los und mißversteht sich, wenn es vom Seyn sich iso=
lirt — es wird unwahr und betrügt sich selbst, wenn
es schlechthin mit ihm identisch seyn will. Die logischen
Formen sollen also dem Realen nicht entfremdet,
es darf ihnen aber auch nicht zugemuthet werden, bie=
se s schöpferisch aus sich selber zu gebären. — Zwischen
beiden Extremen in der Mitte muß demnach die rechte
Straße sich hindurchziehen. Hier ist nun der Ort, wieder

(*) Vergl. Lotze's Logik S. 12.

an die am Eingange aufgeworfenen Fragen anzuknüpfen, um durch eine ausführlichere Beantwortung derselben ben so eben vorläufig angedeuteten Standpunkt theils positiv zu begründen, theils nach allen Seiten schärfer zu umgrenzen.

Anlangend nämlich die erste Frage über die Nothwendigkeit einer genetischen Entwicklung der Denkgesetze ist vor Allem der Begriff eines Gesetzes überhaupt genauer zu erwägen. Betrachten wir diesen Begriff einstweilen nur aus dem subjektiven Gesichtspunkte von Seiten des Faktischen, das er für uns enthält, so zeigt sich, daß gleichwie was wir Gesetz nennen, vorerst bloß ein allgemeiner Ausdruck ist, darin wir eine, durch Erfahrung erkannte, Gleichförmigkeit in einem gewissen Kreise von Erfahrungen festzuhalten suchen: so umgekehrt die Wirksamkeit eines (wie immer uns bekannt gewordenen) Gesetzes von uns darein gesetzt wird, daß es in der ihm zugewiesenen Sphäre eine solche, regelmäßig wiederkehrende, Einstimmigkeit bewerkstellige. Nun ist Erscheinung überhaupt Offenbarung eines Wesenhaften — Prinzipiellen, das wieder nur als das, was es ist, sich manifestiren kann. Die Quali-

tät einer Erscheinung wird also bedingt durch die Qualität des in ihr sich bethätigenden Wesens. Denken wir
uns nun in einer Gruppe von Erscheinungen, die sämmt-
lich aus derselben realen Wurzel hervorbrechen, eine
theilweise stets die nämlichen Punkte treffende Congruenz,
so wird diese partielle Gleichheit als constant in allen sich
wiederholende Form betrachtet, und, einmal erkannt,
auch als ein über die ganze Gruppe schwebendes Gesetz
ausgesprochen werden können. Insofern aber jene Form
gewiß zur Qualität der Erscheinungen gehört, denen sie
gemeinschaftlich ist, weist sie nothwendig auf ein Quali-
tatives im Realgrunde zurück, das, weil selbst unwan-
delbar, eben deshalb in einem beharrlichen Ausdrucke
manifest werden mußte. Daher auch die besondere Art und
Weise, wie in einem fraglichen Falle eine Erscheinung
auftritt, innerlichst noch nicht begriffen ist, wenn man
sich begnügt, irgend ein Gesetz dafür nahmhaft zu machen. Denn man hat durch Subsumption des concreten
Objektes unter den Begriff der Regel wohl einen von
der Zufälligkeit, die stets an individuellen Bestimmungen haftet, freien Standpunkt gewonnen, im Wesentlichen jedoch die Frage nicht beantwortet, sondern bloß

in der Allgemeinheit schlechthin gesetzt, was im Beson=
dern zu erklären war. Vielmehr sind Erscheinung und
ihr Gesetz erst dann vollkommen erkannt, wenn es ge=
lang, dieses als den konstanten Ausdruck eines unver=
änderlichen weil prinzipiellen Grundes darzulegen, so
daß man in diesem Sinne behaupten dürfte: wahrhaftes
und allgemeinstes Gesetz für den Inbegriff der gesamm=
ten Erscheinungen eines Prinzipes sey die Natur des letz=
teren selbst. — Allein ein Prinzip erweist sich thätig
nach verschiedenen Richtungen, deren Grund theils in
ihm selbst, theils in der Differenz des von einem Äuße=
ren — Objektiven — herrührenden Anstoßes liegen
kann. Die Eigenthümlichkeit jeder Richtung muß allen
innerhalb ihrer fallenden Bethätigungen eines Prinzipes
— außer der gemeinschaftlichen der Identität derselben
entsprechenden Form — noch einen besonderen Charak=
ter aufdrücken. So entsteht eine Mannigfaltigkeit von
Gesetzen für die Bewegungen eines und desselben Prin=
zipes, und Gesetz ist mithin, objectiv gefaßt, nichts
Anderes, als der Ausdruck, der — für die Offenba=
rung eines Prinzipes nach einer bestimmten Rich=

tung durch die Natur des ersteren und die Eigen=
thümlichkeit der letztern geforderten Form.

Die Anwendung hievon auf die Denkgesetze und
deren wissenschaftliche Darstellung durch die Logik ergibt
sich von selbst. Eine gedankenlos empirische Behandlung,
die sich zufrieden gäbe, wenn sie nur die Denkgesetze,
wie sie allenfalls der Beobachtung unserer Verstandes=
operationen sich aufbringen, sorgfältig in passende Fächer
geordnet hätte, würde die Logik noch unter das Niveau
der vorwaltend descriptiven Naturwissenschaften hinab=
brücken (*). Denn auch diese, indem sie immer mehr
durch physikalische, chemische oder physiologische Unter=
suchungen sich verstärken, suchen ihren Anspruch auf echt
wissenschaftliche Würde dadurch sicher zu stellen, daß sie
das faktisch Gegebene nicht überall schlechterdings als
solches hinnehmen, sondern es, wo möglich, nach rück=
wärts und vorwärts mit Ursachen und Zwecken zu ver=
knüpfen, und so in seiner Nothwendigkeit zu begreifen

____

(*) „Ganz zu den empirischen Versuchen in der Philo=
sophie gehört auch, was man insgemein Logik nennt. Schel=
ling: Vorlesungen über die Methode des akademischen
Unterrichts. S. 127.

bemüht sind. Womit also nicht einmal Jene sich begnü=
gen, möchte wohl um so weniger für eine Doktrin zurei=
chen, welcher, wie getheilt auch immer die Ansichten
über die ihr einzuräumende Stellung seyn mögen, ben=
noch nirgends der philosophische Charakter abgesprochen
wird, dessen Wesen aber gerade in dem Bestreben ruht,
die letzten Gründe der Wahrheit unserer Erkenntnisse
uns zum Bewußtseyn zu bringen. — Unstreitig hat
also die Logik, wenn sie nicht bloß zu einer oberflächli=
chen historischen Kenntniß der Denkformen, sondern
zur wissenschaftlichen Erkenntniß derselben verhelfen
soll, fürs Erste die Aufgabe, sie von Seiten ihrer
subjektiven Nothwendigkeit darzustellen, wie sie näm=
lich als Selbstbezeugungen des Denkprinzipes, und mit=
hin als Offenbarungen seines Wesens, so und nicht
anders in diesem begründet sind. Denn in dem eigenen
Thun sich selber am nächsten steht offenbar das Subjekt,
und muß daher seinem Rechte vor Allem Genüge leisten.
Doch verträgt sich damit recht wohl die frühere Behaup=
tung, der gemäß nicht von der Natur des thätigen
Prinzipes allein, sondern auch von ihrer Richtung,
Form und Gesetz einer Thätigkeit abhängt. Die Rich=

tung des Denkens wird aber von seinem jedesmaligen
Objekte bestimmt. Demnach erhellt, wie gleichzeitig
mit dem Subjekte auch das Objekt in Berücksichtigung
zu nehmen, und erst wenn sie Beides vollständig in
Rechnung gebracht hat, von der Logik ein erschöpfendes
Verständniß der Denkprozesse zu hoffen ist. Hiermit sind
wir aber bereits in den Kreis der zweiten Frage
eingetreten. Die formale Logik dünkt sich auf dem
sichersten Wege zu einer strengwissenschaftlichen, und
von jedem fremdartigen Beisatze geläuterten Darstellung der Denkgesetze, wenn sie von dem Realen, das
den Inhalt unserer Gedanken ausmacht, möglichst abzu-
sehen trachtet. Indem so das Denken als pure Thätigkeit ausschließend auf sich selbst bezogen wird, bleibt
daran allerdings nichts mehr zu betrachten übrig, als
die reine Form seines Thuns. Wie die mathematische
Vorstellung so zu sagen bloße Schattenrisse in das Leere
zeichnet, ohne den darin eingefangenen Raum mit irgend
einem Massenhaften auszufüllen, und dennoch an der
hohlen Figur genug des Stoffes für weitere Beschäfti-
gung findet; so will auch die Logik, (gleichsam eine
reine Mathematik des Denkens) nur dessen

Form zum Inhalte haben, und sich auf die Erforschung und Bestimmung der darin begründeten Verhältnisse beschränken. Um diese abzuschätzen, glaubt sie keines Anknüpfens zu bedürfen an den möglichen Unterschied der realen Objekte, welche ihnen zur Unterlage dienen können; da jene Verhältnisse durch eine solche Differenz gar nicht berührt würden, sondern bei allem Wechsel des Stofflichen stets denselben Gesetzen unterworfen blieben; gleichwie auch die Stereometrie sich nicht zu bekümmern hat um die Beschaffenheit des Materiellen, das in den von ihr gemessenen Räumen sich ausbreitet. —

In dieser ganzen Ansicht ist Wahres und Irriges wunderlich durcheinandergemischt. Zugegeben zuvörderst, was nirgends geläugnet werden soll: die Logik habe es vorzugsweise mit der Form des Denkens zu thun, so ist ja gezeigt worden, wie die F o r m einer Thätigkeit im Allgemeinen nur die konstante Erscheinungsweise ist der, in bestimmter Richtung sich evolvirenden Natur eines Princips, und mithin ohne Verständniß des letzteren nicht begriffen werden kann. Darf also die Logik zunächst die Beziehung nicht umgehen, in welcher der von ihr gewählte Inhalt zum denkenden Subjekte steht,

so wird sie, einmal dieser Hinweisung auf Reales nach-
gebend, bald auch mancher anderen kaum mehr sich zu
erwehren im Stande seyn. Denn nicht isolirt läßt sich
der Mensch in Mitte der realen Welt betrachten, während so viele Fäden nach unten und oben ihn dem Ganzen verbinden.

Zeigt sich aber schon von diesem Punkte aus mittelbar die Nothwendigkeit, neben der formalen auch die
allfällige objektive Bedeutung der Denkgesetze in Erwägung zu ziehen, so läßt sich wohl noch von einer anderen
Seite her unmittelbar ein gleiches Bedürfniß nachweisen.
Kehren wir nämlich zu den Forderungen der formalen
Logik zurück, so ist sie gewiß in ihrem Rechte, wenn
sie über einzelne Thathandlungen des Denkens ohne Unterschied ihres Inhaltes eine uneingeschränkte Herrschaft
für das logische Gesetz in Anspruch nimmt, vor dessen
Forum sie zufolge ihrer Form gehören. Liegt es doch
im Begriffe eines Gesetzes überhaupt, welches zu dem
Kreise seiner Wirksamkeit wie Allgemeines zu Besonde-
rem sich verhalten soll, daß jedes in sein Bereich fal-
lende Einzelne irgend etwas an sich habe, das von der
Regel nicht berührt wird, und worin ihm ein Spielraum

selbstständiger Bewegungen offen gelassen ist. Daß also die Giltigkeit logischer Imperative, bei deren Anwendung auf einen ihnen unterstehenden Denkakt, keine Beeinträchtigung erleide, dürfe durch die Eigenthümlichkeit seines concreten Inhaltes, und mithin die wissenschaftliche Behandlung derselben hierauf nicht zu reflektiren habe — leuchtet von selbst ein. Aber ein Anderes ist die Unabhängigkeit eines Gesetzes von der Zufälligkeit individueller Differenzen an dem ihm untergeordneten Mannigfaltigen, ein Anderes die Beziehung, in der dasselbe vielleicht als ein Formal-Allgemeines zur realen Allgemeinheit eben jenes Mannigfaltigen stehen möchte. — Wie, wenn die Macht, die ein logisches Gesetz innerhalb eines bestimmten Gedankenkreises ausübt, und der sich die in denselben fallenden realen Objekte, ungeachtet der Divergenz ihrer concreten Bestimmtheit nicht entziehen können, ihren Grund hätte in einem objektiven Gesetze, das in Wirklichkeit jenen Dingen selbst gebietet? Dann wäre das Eine nur der formale Ausdruck des Anderen, und eine Darstellung kaum eine wissenschaftliche zu nennen, welche diesen Zusammenhang zerrisse. — Zur Erläuterung und Bestättigung mag ge-

34

rade jenes Beispiel dienen, dem die formale Logik nach-
zustreben behauptet. Denn was verleiht den mathema-
tischen Gesetzen ihre mit Recht gerühmte Unfehlbarkeit,
und zwingt jedwedes wie immer geartete Materielle sich
denselben zu fügen, wenn es nicht die objektiven Zeit-
und Raumverhältnisse, und die aus ihnen zusammengesetz-
ten der Bewegung sind, welche in jenen primitivsten
Anschauungen wahrgenommen werden, von denen alle
mathematische Forschung ausgeht? Die Mathematik macht
hievon ein für allemale in ihren Fundamentalsätzen Ge-
brauch, und fühlt dann freilich auf ihrem weiten Wege
nirgends ein Bedürfniß, nachzusehen, ob auch die von
ihr festgesetzten Formen, das Reale, für welches sie
bestimmt sind, aufzunehmen sich eignen, da sie von
vornherein durch ihre Anfänge hierüber die zuverläßig-
sten Bürgschaften besitzt. Die Logik hingegen, die eines
solchen Vortheiles entbehrt, muß in anderer Weise eine
gleiche Beruhigung sich zu verschaffen suchen. Oder wenn
sie schon auf die Analogie sich beruft, die allerdings zwischen ihr und der Mathematik zugestanden werden muß,
so mag sie wenigstens ihrem Vorbild darin folgen, daß
sie damit beginne, den realen Inhalt der ein-

fachsten Gedankenelemente sich zum Verständ=
nisse zu bringen, um sich dadurch gleichfalls eine Basis
zu verschaffen, die, treulich im Auge behalten, allen ih
ren Entwicklungen objektive Giltigkeit zu sichern ver=
möchte. Alsdann dürfte sie aber wohl nicht umhin kön=
nen, hier und da noch speziell den Blick auf das Wirk=
liche zu richten. Gesetzt nämlich, jenes Mittel hätte sie
ursprünglich aufmerksam gemacht auf wesentliche Unter=
schiede im Realen, und daher auch in den ihm überge=
ordneten Gesetzen, so wäre davon später nimmer mehr
Umgang zu nehmen gestattet. Denn offenbar würde der
Umfang, in welchem das objektive Gesetz herrscht, maß=
gebend für die Grenzbestimmung seines Gegenbildes —
der logischen Vorschrift. Hiermit stimmt vollkommen zu=
sammen, was früher über den bestimmenden Einfluß der
Richtung einer Thätigkeit auf das Gesetz ihres Verlau=
fes innerhalb jener wiederholt bemerkt worden. —

In dem Vorhergehenden suchten wir gegenüber den
Abstraktionen der formalen Logik die natürliche Relation
zwischen den Formen des Seyns und denen des Denkens
hervorzuheben. Leicht möchte dabei der Schein entste=
hen, als müßten wir in dem Maße, als wir von der

einen Ansicht uns entfernen, unwillkührlich näher zu der entgegengesetzten der sogenannten objektiven Logik hingetrieben werden, die bereits oben eine kurze Würdigung erhalten hat. Es erübrigt daher noch, uns auch gegen diese deutlicher zurecht zu setzen, wodurch zugleich die letzte von den ursprünglich gestellten Fragen ihre Beantwortung finden dürfte.

Voraussetzungen wurzeln im Wesen des menschlichen Denkprinzips, welche die Formen vorschreiben, wie das Reale im Einzelnen, wie es im Zusammenhange zu fassen sey. Man nennt sie die Categorien. Durch sie ist nicht etwa ein Urwissen des Denkgeistes von allem seinem Wissen gegeben, ein fertiger Gedankenbesitz, der dem Denken vorherginge. Auf einen ähnlichen Widerspruch liefe es am Ende immer hinaus, gleichviel ob sie für angeborne, dem Menschengeiste anerschaffene Ideen erklärt würden, oder ob irgend eine platonisirende Ansicht Gedanken in ihnen zu erkennen wähnte, welche der Geist in einem vorweltlichen Zustande besaß, als er noch in substantialer Einheit mit dem Absoluten Theil hatte an dessen uneingeschränkter Intelligenz, und die nun durch eine Art von Anamnese aus ihrer nachmaligen Verdunklung wiedererstünden. Nichts sind sie von allem dem, sondern einfache Bedingungen, denen das Denken entsprechend sich bewegen muß, weil es eben nicht anders kann; subjektive Denknothwendigkeiten, welche jedoch die Thätigkeit durch Reflexion auf sich selbst sich zum Bewußtseyn zu bringen, oder mit anderen Worten, aus dem Ansich reiner Denkbestimmungen in das Fürsichseyn bestimmter Gedanken zu erheben, und sodann auch in eigenthümlichen sprachlichen Ausdrücken zu fixiren vermag. Die Frage ist nun, ob diese uns zunächst entgegentretende subjektive Bedeutung der Categorien ihre einzige sey, oder ob nicht mit ihr zugleich auch eine objektive Geltung ihnen zukomme. Besitzen wir an ihnen etwa bloß die constanten Formen der Selbsterhaltung der vorstellenden Monas, gegenüber den Störungen von außen, — eigenthümliche Dispositionen des Denkgeistes, welche, gleichwie die Matrize den in sie ergossenen Inhalt model, in ähnlicher Weise bewirken, daß in regelmäßigen durch sie fixirten Gestaltungen die, wie immer in uns entstehenden Perceptionen des Realen sich configuriren? Oder sind uns vielmehr in ihnen zugleich die Gesetze des objektiven Geschehens, die wahrhaften Verhältnisse des Seienden gegeben? —

Eines ist bei Beantwortung dieser Frage im Vorhinein gewiß: welche Anstrengungen auch das Denken mache, um dessen Verhältniß zu dem Seyn zu ergründen; über sich hinaus — von sich wegkommen, kann es dabei nirgends. Es gibt für uns keinen andern Weg, begreifend an die Dinge heranzubringen, als eben durch unser Denken; und ganz widersinnig wäre das Bemühen, irgend einen Standpunkt außerhalb desselben erklimmen zu wollen, um etwa frei darüber schwebend und von dessen allfälligen Voraussetzungen unberührt, gleichsam mit dem Auge eines anderen Wesens es zu prüfen. Jede Beweisführung über die reale Geltung der Categorien kann also nicht anders als im Kreise sich bewegen, weil das einer solchen Aufgabe sich widmende Denken immer wieder von ihnen tingirt seyn muß; und nichts wäre dabei zu gewinnen, als die Möglichkeit eines endlosen Sichreflektirens vor Sich Selber, wodurch aber die Befangenheit nur vervielfältigt, nicht gelöst würde. Das Denken vermag für sich keinen anderen Bürgen zu stellen, als sich selber. Diese Gewähr muß jedoch schlechterdings genügen, sobald nur hervorgeht, daß das Denken ohne die Forderung, auf der es besteht, sich vor sich selbst nicht zu behaupten im Stande ist. Denn was das Ich nicht aufgeben kann, ohne sich als solches aufzugeben, das muß so gewiß wirklich seyn, als das Ich wirklich ist. Beweisen kann man diesen Satz allerdings Niemanden, so wenig wie dessen eigene Existenz. Wer uns jedoch eine solche Zumuthung macht, weiß nicht, was er begehrt, und ist mit ihm keine Verständigung zu hoffen. Er stehe bei Seite; die Wissenschaft hat fürder nicht mit ihm, er nicht mit ihr zu verkehren. Aber auf diesem Vertrauen des Denkens zu sich selbst, ruht zuverläßig alle Möglichkeit einer objektiven Sicherheit, und mithin auch der subjektiven Gewißheit unserer Erkenntnisse. Würde diese Stütze wankend gemacht, alles menschliche Wissen, ja das Denken selbst bräche unter ihren Trümmern zusammen. —

Mit einer bloß subjektiven Geltung der Categorien sind die Bedürfnisse des Denkgeistes nicht befriedigt, der durch die Erkenntniß die Dinge, wie sie leiben und leben, nicht aber bloß die Schatten zu greifen begehrt, welche er selber darüber geworfen(*). Dennoch ist die Objektivität derselben kein Gegenstand eines Beweises. Sie muß daher als schlechthin vorauszusetzende Thatsache anerkannt werden, sofern man nicht früher oder später der Selbstvernichtung des Skeptizismus verfallen will. Hiermit ist also schon eine Uebereinstimmung zwischen den Formen der idealen und realen Welt faktisch gesetzt. Doch wird eine wahrhaft wissenschaftliche Ansicht hierbei nicht stehen bleiben dürfen, sondern die innere Möglichkeit der behaupteten Congruenz auf ihrem eigenen Grund und Boden aufzuweisen, und insbesondere den Umfang zu bestimmen haben, innerhalb dessen sie für dieselbe gelten soll. Indem die objektive Logik von vornherein ein für allemale Denken und Seyn in eine absolute Einheit zusammenfallen läßt, überhebt sie sich der Nothwendigkeit, auf derlei Untersuchungen einzugehen. Nicht im Stande, uns ihrer Voraussetzung anzuschließen, suchen wir auf einem anderen Wege uns der Lösung dieser Aufgabe zu nähern. —

(*) „Es ist der spannende Nerv in allem Erkennen, daß wir das Ding erreichen wollen, wie es ist; wir wollen das Ding, nicht uns.“ — Trendelenburg, log. Unters. I. Th. S. 127.

Vielfach wurde in unseren Tagen als der Triumph eines philosophischen Systems gepriesen, wenn es ihm gelingt, eine gotterfüllte Welt vor unseren Augen zu erschließen. Es ist nicht hier der Ort, das Mißverständniß aufzudecken, in welches die Zweideutigkeit dieses Ausdruckes zu verlocken droht, und wie dasjenige, was mit seiner Wesenheit ganz in die mundane Wirklichkeit sich versenkte, schwerlich der Gott seyn könne, dessen wir bedürfen. Allerdings ist die Welt überall voll des Göttlichen. Doch halten wir uns an die Ansicht, welche, indem sie für die Gottheit ein außer- und über-weltliches Daseyn vindizirt, und den gesammten Weltorganismus als die durch schöpferische Macht realisirte Idee Gottes begreift, eben darum eine zwar nicht vom Wesen, wohl aber von lebendigen Gedanken Gottes erfüllte Welt anerkennt (*). Hierin liegt die große Berechtigung teleologischer Forschungen, und der Grund, weßhalb trotz des Mißcredits, den die Verirrung in kleinliche Einseitigkeit hier und da über sie gebracht haben mag, das Bedürfniß darnach immer wieder von Neuem sich geltend macht.

(*) Vergl. Günther Eurystheus und Herakles. S. 58.

Den göttlichen im bedingten Seyn ausgeprägten Gedan=
ken nachzudenken, die Uebereinstimmung der unendlichen
Vielheit zur Einheit eines absolut vollendeten Ganzen
zu erfassen — eine erhabenere Aufgabe gibt es nicht;
und haben diesem Ziele von jeher die edelsten Geister,
ein Plato wie ein Leibnitz, wenn auch auf ganz verschie=
denen Wegen gemeinsam zugestrebt. Und so dürfte auch
die Beantwortung der vorliegenden Frage ohne Scheu
sich mit Folgerungen in Verbindung setzen, welche aus
einer teleologischen Weltanschauung herübergeholt sind.

Ist nehmlich Daseyn, Leben, nichts Anderes, als
die wirkend sich aufschließende Natur eines Wesenhaften,
so war durch den absoluten, alles relative Seyn vorden=
kenden Gedanken auch dessen Daseyn mit seinen Grund=
formen schon vorgezeichnet; ja die letzteren sind alsdann
nur die actuellen Bestimmtheiten des Seyns, in welche
die von Gott potentiell in dasselbe gelegten Bestimmun=
gen sich evolviren mußten. Demnach wurde das objektive
Geschehen in der Welt und die Subjektivität der den=
kenden Wesen durch den schöpferischen Willen nicht nur
in den kosmischen Verband zusammengeschlossen, sondern
darin auch für einander gesetzt. Denn des Denkens

eigentlichster Beruf drängt zum Wissen, zur Erkenntniß. Ist doch dieß Bedürfniß so eng mit unserer Natur verwachsen, daß es sogar die Dichtung, die vor sich selber bestehen will, mit dem Scheine der Wirklichkeit sich zu umgeben zwingt. Aber das Denken vermag seinen Inhalt nur in sich aufzunehmen, nicht aus eigener Machtvollkommenheit zu erzeugen. Somit ist es an ein Objektives, als ein Gegebenes gewiesen. Objekt und Subjekt — Seyn und Denken — sind also für einander, und ein unvermeiblicher Zwiespalt zwischen ihnen wäre ein Widerspruch in dem göttlichen Gedanken, der sie für einander bestimmte. Vielmehr muß zwischen den Gesetzen, welche die reale Entwicklung des einen beherrschen, und denen, welche der idealen Bewegung des anderen gebieten, ein der gegenseitigen Relativität Beider entsprechender Parallelismus obwalten, der es möglich macht, daß ihr an sich seiendes Füreinander zur vollkommenen Befriedigung und Sättigung in irgend einem faktischen Resultate gelange. Als ein solches stellt sich nun die Uebereinstimmung dar, welche die wahre Erkenntniß zwischen Seyn und Denken bewerkstelligt. Die Postulate des Denkens sind also zugleich maßgebend für die wahre Erkenntniß. Getrost mag sich ihnen der Menschengeist überlassen, wenn er des Realen um ihn her denkend sich zu bemächtigen strebt. Schleicht dennoch irgendwo der Irrthum sich ein, so fällt die Schuld nicht dem Gehorsam anheim, der ihnen geleistet worden. Im Gegentheile: was sie unbeugsam als ein Giltiges anzuerkennen befehlen, so daß damit das Denken steht und fällt, das muß auch wahr seyn; wurde doch das Eine alsdann nicht ohne das Andere auch von Gott gedacht.

Indem wir uns aber durch diese teleologischen Betrachtungen — wenn es anders erlaubt ist, einen bekannten Ausdruck in verändertem Sinne zu gebrauchen — die Aussicht in eine prästabilirte Harmonie zwischen Denken und Seyn eröffnen, müssen wir uns nachdrücklichst vor dem allfälligen Mißverständnisse verwahren, als hätten wir uns hiermit doch nur auf den verrufenen Standpunkt der ideae innatae zurückbegeben, oder etwa unter die Fittige jener antiquirten Ansicht geflüchtet, welche die Categorien für Gesetze erklärt, die der göttliche Geist eigens zum Behufe des Verständnisses der Naturerscheinungen uns eingepflanzt habe — eine Hypothese, der schon Kant in einer gegen Crusius gerichteten Bemerkung mit Recht entgegenhielt: »daß es bei dem Mangel »zuverläßiger Criterien, den ächten Ursprung von dem »unächten zu unterscheiden, mit dem Gebrauche eines »solchen Grundsatzes sehr mißlich aussehe, indem man »niemals sicher wissen könne, was der Geist der Wahr- »heit oder der Vater der Lügen uns eingeflößt haben »möge« (*).

Weit entfernt, durch das Hilfsmittel der Teleologie einen Deus ex machina einzuschmuggeln, und aller weiteren Untersuchung einen Riegel vorzuschieben, sollte dadurch einstweilen nur der Grund gelegt werden, auf welchem die Ueberzeugung von der Nothwendigkeit der Harmonie zwischen Denken und Seyn fußen dürfe. Damit ist nun allerdings nicht die ganze Aufgabe gelöst, sondern es wird noch die Frage zu beantworten seyn nach der inneren Möglichkeit der behaupteten Harmonie, so wie des Vorganges, dadurch das Eine mit dem Anderen sich in Uebereinstimmung setzt. Nur kann die Ausfüllung dieser Lücke am gegenwärtigen Orte — bei den Schranken, welche das engumschriebene Ge-

---

(*) S. Kant Prolegomena §. 36 Anmerkung.

biet eines einleitenden Vortrages vorſchreibt — nicht in erſchöpfender, alle Vorausſetzungen ſtrenge demonſtriren= der, ſondern mehr in andeutend=ſkizzirender Weiſe über= nommen werden. —

Zu dieſem Ende erlauben wir uns ſogleich an die ſo eben erwähnte Aeußerung Kants anzuknüpfen. Kant verbindet damit die Behauptung : daß zwiſchen den bei= den Vorausſetzungen, von denen die eine — mit Locke — die Categorien für Begriffe erklärt, die auf empiriſch= pſychologiſchem Wege durch allmählige Abſtraktion aus der Erfahrung gewonnen wurden, die andere hingegen in ihnen aprioriſche, d. i. mit Allgemeinheit und Noth= wendigkeit von vornherein beſtimmende Formen unſerer ſubjektiven Denkthätigkeit anerkennt — keine mittlere mehr als die von Cruſius verfochtene denkbar ſey. Es läßt ſich aber gar wohl noch eine vierte Anſicht nahm= haft machen, welche überdieß die Eigenthümlichkeit be= ſitzt, daß ſie in gewiſſer Weiſe jene drei anderen Hypo= theſen in ſich aufgehoben enthält; dieſe nämlich, der zu= folge die Categorien nichts Anderes ſind, als die, den Grundverhältniſſen des objektiv=realen Daſeyns der Sub= ſtanzen entſprechenden Formen für ihre ſubjektiv=ideale

Thätigkeit, mithin auch die nothwendigen Voraussetzungen ihrer Selbsterinnerung.

So gewiß jedoch Objektivität und Subjektivität als s o l ch e verschiedene, und doch in ihren Resultaten sich deckende Momente des Daseyns einer Substanz sind, so daß sie sich gewissermaßen verhalten, wie Uebertragungen eines und desselben Sinnes aus einer Sprache in die andere und umgekehrt, so können auch die Formen des Realen und die Categorien für nothwendig mit einander, rücksichtlich ihres Inhaltes übereinstimmende Correlate gelten, ohne deßhalb im Sinne einer (sey es mehr realistischen oder idealistischen) Identitätsphilosophie Denken und Seyn überhaupt in einander aufgehen zu lassen. Wie sehr wir aber wünschen, uns von der letzten Auffassungsweise entfernt zu halten, wird noch unzweideutiger erhellen, wenn wir auf eine Erörterung der eigenthümlichen Natur menschlicher Denkthätigkeit und des Verhältnisses eingehen, darin ihre Formen zu den principiellen Wurzeln stehen, aus denen sie nach unserem Dafürhalten begriffen werden muß. —

Eine geringe Aufmerksamkeit auf unser vorstellendes Leben läßt uns darin zweierlei Processe von ganz verschiedenem Gepräge erkennen. Bei dem einen tauchen Vorstellungen auf, und verschwinden wieder, ohne daß wir uns bewußt wären, ihr Kommen oder Gehen veranlaßt zu haben. In ähnlicher, von unserer Willkühr ganz unabhängiger Weise wickeln sie sich hier in zusammenhängenden Reihen vor uns ab, oder treten dort in kompakte Massen zusammen. Achtet man auf die Weise, wie derlei Verbindungen sich bilden, so sieht man bald, daß sie nicht regellos, sondern vielmehr nach gewissen Normen erfolgen, die man frühzeitig durch Beobachtung entdeckt hat, und welche unter dem Nahmen der Assoziationsgesetze hinlänglich bekannt sind. Befreit man diese letzteren von dem ganz unorganischen Coordinationsverhältnisse, darin sie häufig bloß neben einander hingestellt werden — eine Anordnung, welcher noch die Zufälligkeit des rein empirischen Verfahrens anklebt, durch das man zum Besitze derselben gelangte — so zeigt sich, daß sie eigentlich auf zwei Fälle sich reduziren: und zwar ben einer inneren, im Inhalte der Vorstellungen begründeten Verwandtschaft derselben mit einander, und ben einer äußeren, lediglich durch das vorstellende Subjekt eingeleiteten Beziehung derselben auf einander, welche aber ganz unwillkührlich erfolgt, und daher mit einer absichtlichen freien Reflexion um so weniger verwechselt werden darf, als sie nur das Produkt eines zufälligen gleichzeitigen Erscheinens oder unmittelbaren Aufeinanderfolgens der Vorstellungen ist.

In dieser doppelten Möglichkeit liegt zugleich die Erklärung: wie in jenen Fällen, wo derlei Vorstellungsprozesse ungestört sich abspinnen können, wie dieß in den Fantasien der Fieberkranken, im Traume oder bei Wahnwitzigen stattfindet, bald Zusammenstellungen zum Vorschein kommen, welche durch den Anschein von Witz, Scharfsinn, ja sogar Tiefsinn überraschen, bald hingegen solche, die durch die absoluteste Ungereimtheit abstoßen und beängstigen. Offenbar hat dort in Ermanglung eines stärkern Moments eine innere mehr oder minder wesentliche Verwandtschaft, hier aber der Zufall des, in Folge einstmaligen Beisammenseyns zwischen zwei an sich ganz discrepanten Vorstellungen veranlaßten Aufeinanderbeziehens derselben gewirkt.

In entschiedenem Gegensatze zu den eben geschilderten Vorstellungsprozessen finden sich jedoch in uns andere, welche den unläugbarsten Stempel selbstbewußter

Freiheit an sich tragen. Hier erscheint das vorstellende Subjekt so zu sagen nicht bloß als die Bühne, auf welcher gehandelt wird, sondern tritt selbst handelnd auf, ja vereinigt sogar die Rolle des Akteurs, Zuschauers und Kritikers in einer Person. Das Verhältniß jener niederen Vorstellungsthätigkeit zu dieser höheren ist dabei dieses: daß die erstere — mit Ausnahme der angedeuteten Fälle, wo sie, ihrer eigenen Gesetzlichkeit anheimfallend, von einer unabweisbaren Nothwendigkeit beherrscht wird — fortwährend der Controlle der anderen unterliegt, so daß diese letztere die durch jene bewirkten Vorstellungs-Assoziationen nicht schlechthin sich gefallen läßt, sondern nach Prüfung des Inhaltes der verbundenen Vorstellungen über ihre Zusammengehörigkeit entscheidet, und darnach die fraglichen Verknüpfungen bestätigt oder löst, und durch neue frei vollzogene ersetzt. Nennen wir nun jenes niedere Vorstellen das psychische, dieses höhere aber das Denken, so können wir hinzufügen: daß auch ein einfaches psychisches Vorstellungsprodukt, welches etwa durch eine stattgefundene Wahrnehmung entstand, selbst dann, wenn das Denken es aufnimmt, ohne an dessen Inhalt zu ändern,

dennoch durch die selbstbewußt und frei wiederholte Ver=
bindung seiner Bestandtheile in ein wesentlich Anderes
und Höheres umgebildet wird, so daß erst durch diesen
neu hinzutretenden Prozeß, was früher bloß Vorstel=
lung war, nunmehr zum Gedanken sich steigert (*).

Da es ferner, wie früher bemerkt wurde, unter
den psychischen Assoziationsgesetzen auch solche gibt, deren
Grund in einer inneren Beziehung der Vorstellungen
liegt, so kann leicht sich begeben, daß in Folge rein
psychischer Gesetzlichkeit zwei Vorstellungen unmittelbar
oder durch Vermittlung einer dritten zusammenkommen,
welche auch das Denken durch Urtheil oder Schluß
verbinden muß; und es mag praktisch die Wirkung jener
psychisch eingeleiteten Verknüpfung auf das Streben

(*) Was Kant die transscendentale Einheit des Selbst=
bewußtseyns oder die ursprünglich = synthetische Einheit der
Apperception genannt hat, ist nichts anders als jenes innere
Band selbstbewußter Verknüpfung, wodurch sich das Produkt
des Denkens von dem des psychischen Vorstellens auch bei
fast ganz congruentem Inhalt unterscheidet. Nur irrte Kant
darin, daß er alle Synthese schlechthin erst mit dem Denken
beginnen ließ, während schon die Vorstellung unter der syn=
thetischen Einheit des psychischen Subjektes steht, und keines=
wegs als ein incohärenter Rohstoff betrachtet werden darf.

dieselbe seyn, welche die von dem Denken bewerkstelligte auf das Handeln ausübt; demungeachtet bleiben beide Vorgänge so gewiß wesentlich verschieden, wie die zufällige Gemeinschaftlichkeit des Zieles Trieb und Freiheit nicht identisch macht.

Läßt man nun diesen unbestreitbaren Thatsachen das ihnen gebührende Recht widerfahren, so wird man, zur Erklärung derselben schreitend, nur drei Wege vor sich haben. Entweder man beharrt ungeachtet der wesentlichen Differenz beider Vorstellungsprozesse dennoch dabei, sie auf eine und dieselbe prinzipielle Wurzel zurückzuführen, achtet aber zugleich auf die Thatsache, daß auch die Natur im Thiere auf psychische Weise und zwar nach ganz gleichen Gesetzen thätig ist. In diesem Falle erklärt man konsequent das Denken nur für die höchste Steigerung des psychischen Lebens, mithin auch den Menschen nur für ein vollkommeneres Thier. Oder man hält zwar gleichfalls alles menschliche Vorstellen für Selbstbezeugung eines einzigen Prinzips, sucht aber die Ehre des Menschen — freilich auf Unkosten der Natur — dadurch zu retten, daß man ihn im Sinne des Cartesischen Dualismus als ein Vereinwesen

von Natur und Geist anerkennt, an welche man die Prädikate von Ausdehnung und Gedanken in schroff einander
ausschließender Gegensätzlichkeit vertheilt. Dann hat man,
anderweitiger Irrungen nicht zu gedenken, aller tieferen
Naturanschauung und einer unwidersprechlichen Erfahrung entgegen, das Thier für einen bloßen Automaten
erklärt, womit zwar ein Machtspruch gefällt, aber kein
Verständniß seines Daseyns gewonnen ist.

Hat man nicht Lust, sich diesen beiden Wegen anzuvertrauen, dann bleibt nur ein dritter noch übrig.
Diesen einschlagend erwägt man zuvörderst den Gedanken: daß alles Vorstellen subjektive Thätigkeit ist, alle
Subjektivität aber nur als die, von Seiten eines substantiellen Princips durchgesetzte Verinnerung seines objektiv = realen Daseyns betrachtet werden kann; daß sonach, da Subjektivität und Objektivität einander decken
müssen, ein Gegensatz in der Sphäre der Subjektivität einen entsprechenden in jener der Objectivität voraussetzt. Wenn nun im Menschen eine zweifache
Vorstellungsthätigkeit nachweisbar ist, wovon die Eine,
sich im eigenen Thun selbst beschauend, frei herrschend über
der Anderen schwebt, das Spiel der letzteren hier un

terbricht, dort korrigirt, und so die mechanische Gesetzlichkeit derselben einer höheren Ordnung dienstbar macht,
dann scheint die Ansicht nahe genug gelegt, daß man es
hier mit einer zweifachen Subjektivität zu thun habe,
als deren Träger daher auch zwei, durch jene sich Objekt
werdende Realprincipe vorausgesetzt werden müssen, die
zu einer Lebenseinheit verbunden den Menschen geben.

Indem wir uns hiermit offen zur Ansicht eines crea-
türlichen Dualismus bekennen, — den gesammten Inbegriff aller psychischen Erscheinungen im Menschen nur für
die andere Seite jenes Naturlebens in ihm erklären, das
im Somatischen handgreiflich genug sich offenbart, hingegen Selbstbewußtseyn und Freiheit als Eigenthum des
Geistes vindiziren — können wir nun genauer das Denken als die mittlere Sphäre bezeichnen, in welcher die Subjektivirungsprozesse von Natur und Geist
sich durchdringen, um die eine selbstbewußte Persönlich-
keit des Menschen als solchen zu konstituiren.

Aus dieser nicht bloß quantitativ-graduellen, son-
dern qualitativ-prinzipiellen Verschiedenheit der beiden
Faktoren unserer Denkthätigkeit ergibt sich aber auch die
Nothwendigkeit einer doppelten Reihe von Categorien für

die letztere. Denn sind die Categorien nichts Anderes als subjektiv-formale Ausdrücke objektiv-realer Daseynsbestimmungen der Substanzen, so muß ein durch die Wesens-Differenz der Prinzipe bedingter Gegensatz in den Grundverhältnissen ihres Lebens auch einen korrespondirenden in den Formen zur Folge haben, durch welche jene ihre Verinnerung gewinnen sollen. Ein unterschiedloses Durcheinanderwerfen beider Classen von Categorien kann daher nur unlösbare Verwirrungen erzeugen, und in der Anwendung bloß dazu dienen, von vornherein jedes Verständniß von Natur und Geistesleben zu vereiteln.

Außer dieser zweifachen Reihe spezifischer Categorien, und über ihr schwebend, wird es jedoch noch eine dritte geben von solchen, welche allgemeine Bestimmungen enthalten, in denen alle Substanzen, wegen ihres Substanzseyns überhaupt, alles Leben, weil und in wiefern es Leben ist, zusammentreffen müssen. Hier ist nun der Ort, einige Bemerkungen anzuknüpfen über eine alte, aber erst durch die einseitige Auffassung Kants ganz in den Vordergrund gedrängte Frage: ob nämlich die Categorien bloß von endlichem oder auch von unendlichem Gebrauche sind. Daß die Categorien des Endlichen nicht als solche unmittelbar auf das Unendliche sich anwenden lassen, versteht sich von selbst. So wenig es angeht, die spezifischen Categorien des Natur-Lebens auf das geistige schlechtweg zu übertragen, so wenig kann es gestattet seyn, das Leben des Absoluten unter Bestimmungen zu fassen, welche nur der formale Ausdruck von Grundverhältnissen im relativen Daseyn sind. Frägt man aber, mit welchem Rechte der menschliche Denkgeist, welcher doch nur innerhalb der ihn beherrschenden endlichen Categorien sich zu bethätigen im Stande sey, die Fähigkeit, Gott überhaupt nur zu denken, geschweige eine wissenschaftliche Erkenntniß über denselben ansprechen könne: so weisen wir zuvörderst auf die eben angedeutete dritte Art von Categorien hin, die, weil sie bloß allgemeine, von keiner spezifischen Qualität der Substanzen tingirten Verhältnisse aussprechen, auch eine ausnahmlose Anwendung gestatten. Dann aber halten wir jenem Einwurfe die einfache Thatsache entgegen, daß der Gottesgedanke in uns wirklich vorhanden, und daher wohl möglich seyn müsse, daß jedoch jene Wirklichkeit und diese Möglichkeit ihre Berechtigung finden in der Noth-

wendigkeit, mit welcher der Denkgeist unabweislich
über die Schranken endlicher Denkbestimmungen hinaus-
getrieben wird. Da nämlich alle Schranke Negation,
keine Negation aber das Ursprüngliche ist, sondern ein Po-
sitives zur Voraussetzung hat, das durch sie aufgehoben
wird, und mithin auf dieses zurück weist, so kann auch
der Denkprozeß bei ihr nicht stehen bleiben, und wird
derselbe nicht eher zur Ruhe kommen, bis er zu einem
von aller Negation freien, absolut positiven Gedanken-
inhalte vorgedrungen ist (*). In gleicher Weise wird
auch der Menschengeist, sobald er sich in seiner Bedingt-
heit erfaßt hat, zur Idee eines unbedingten, von ihm
wesenhaft verschiedenen Seyns hingetrieben, einer Idee,
der er fortan so gewiß Realität zuerkennen muß, als er
sie nicht aufzugeben vermöchte, ohne die Idee seiner selbst
aufzugeben. Während aber der Denkgeist, ausgehend von
der mit Negativität behafteten Idee seiner selbst, durch

(*) In dieser unwiderstehlichen Bewegung des Denkens
liegt der Kern des ontologischen Argumentes, und in der
That schlug bereits Anselm im ersten Capitel seines Monolo-
giums einen verwandten Weg ein, den er aber leider nicht
verfolgt und dialektisch durchgeführt hat.

die Negation der an sich erkannten Schranken zur Idee
des Absoluten sich erhebt, müssen auch die Categorien,
innerhalb deren jener Ausgangspunkt gedacht wurde,
von der Bewegung mitgerissen werden; ja sie sind ei=
gentlich die Anhaltspunkte und Leiter derselben, indem
auch sie zur Aufhebung der in ihnen enthaltenen Nega=
tionen, mithin über sich selbst hinausdrängen, und so eine
Umbildung erfahren, in Folge deren sie zur Aufnahme
des neuen Inhaltes sich eignen. Indem sie auf diese Weise
gleichen Schritt mit dem Denkprozesse halten, und mit
diesem zugleich die ursprüngliche Negativität abstreifen,
verwandeln sie sich aus Categorien des Endlichen in Ca=
tegorien des Unendlichen; geben aber durch die Negati=
vität des Ausdruckes, in welchen sie den absolut positi=
ven Inhalt hüllen, Zeugniß von der Art und Weise ih=
rer Genesis; eine Bemerkung die sich gewiß Jedermann
aufdringt, der die Begriffe einer Prüfung unterzieht,
durch welche man die sogenannten Eigenschaften Gottes
darzustellen pflegt (*).

(*) Einen merkwürdigen Beleg liefert nachstehender Ver=
such des Augustinus, an der Hand endlicher Categorien durch

Kehren wir nun wieder zu dem Begriffe der Categorien im Allgemeinen zurück, so sey uns nur noch er-

----

die Negation derselben zum Verständnisse der Idee Gottes zu
gelangen: Deus sine qualitate bonus, sine quantitate mag-
nus, sine indigentia creator, sine situ praesens, sine ha-
bitu omnia continens, sine loco ubique totus, sine tem-
pore sempiternus, sine ulla sua mutatione mutabilia fa-
ciens nihilque patiens. (Aug. de Trinitate, V. 2). Wenn
aber Trendelenburg, der gleichfalls diese Stelle anführt (log.
Unterf. II. S. 348.) hinzufügt: daß ein Widerspruch
entstehen müsse, so oft wir Gott denken, und daraus
unsere Unfähigkeit beweisen will, zur Erkenntniß des Absoluten zu gelangen, so können wir dieser Behauptuug so
wenig beipflichten, als wir zwei andere bald darauf folgen-
de Sätze vereinbarlich finden, wovon der eine (II. S. 351.)
die Welt — mit Recht — „das Gegenbild des We-
„sens des Schöpfergeistes“ nennt, der andere aber (II.
S. 350.) dennoch dem Menschengeiste die Fähigkeit abspricht
„das Wesen Gottes mit derselben logischen Nothwendigkeit
„zu entwickeln, mit welcher er die endlichen Dinge zu durch-
„dringen vermag.“ Denn eben weil die Welt die reale Con-
traposition des Wesens der Gottheit ist, muß mit der Erkenntniß der einen auch die der anderen sich vollenden; und weit
entfernt, daß in der Negativität endlicher Categorien die Unmöglichkeit läge, das Absolute zu denken, ist darin sogar
die Nothwendigkeit dazu gegeben, der man jedoch allerdings
nur durch eine Negation jener Negativität d. i. durch einen
Widerspruch genügen kann. —

laubt, unsere Erörterung darüber mit der Angabe des Verhältnisses zu schließen, in welchem die von uns entwickelte Ansicht zu jener steht, als deren Vertreter Kant, Locke und Crusius genannt wurden. Die Kategorien sind erstlich apriorisch, d. h. sie gehen allem faktischen Gebrauche der Denkthätigkeit vorher, insofern sie nur correlate Formen in der Sphäre der Subjektivität für die in der Sphäre der Objektivität vorhandenen Grundverhältnisse, und daher allgemeine und nothwendige Voraussetzungen zur Verinnerung der letzteren sind.

Sie sind ferner, wenn man will, auch aposteriorisch, zwar nicht als Formen, wohl aber als Begriffe, insofern der Denkgeist, der ganz unwillführlich innerhalb derselben sich bethätigt, erst durch die Anwendung jener Formen, indem er bei seinem eigenen Thun sich belauscht, zum Bewußtseyn derselben gelangt, und abgesondert sie herausgreifend und wie einen eigenthümlichen Erkenntniß=Besitz ergreifend, zuletzt als Begriffenes sie vor sich hinstellt.

Sie sind endlich auch angeboren und anerschaffen, insofern jede Creatur ein realisirter Gottesgedanke ist, durch die Schöpferidee aber mit den qualitativen Wesens=

what philosophers ever postulated such identity?

beſtimmungen der zu ſetzenden Subſtanz zugleich die durch dieſelbe bedingten Grundformen ihres objektiven und ſubjectiven Daſeyns vorgedacht ſeyn müſſen. —

Und ſo fänden wir uns auf einem langen Umwege zurückgekehrt zu dem teleologiſchen Standpunkte, von dem wir urſprünglich ausgegangen waren. Was uns noch erübrigt, nachdem wir die Überzeugung von den Rechtsanſprüchen des erkennenden Denkens an das Wirkliche gewonnen haben, ohne zur Vorausſetzung einer abſoluten Identität von Realem und Idealem greifen zu müſſen, iſt: die Grenzlinien zu ziehen, innerhalb deren von einer Congruenz der Formen beider die Rede ſeyn dürfe. Zu dieſem Ende iſt nöthig, ſchärfer als bisher der Fall war, zwiſchen den Categorien und den logiſchen Geſetzen im engeren Sinne des Wortes zu unterſcheiden. —

Die erſteren ſprechen die Verhältniſſe aus, welche wir an und zwiſchen dem Realen vorausſetzen, weil unſer Denken gedrungen wird, es in jenen aufzufaſſen. So ſind ſie faktiſche Nothwendigkeiten, denen der Denk-geiſt nicht etwa bloß ſich entziehen nicht ſoll, ſondern abſolut nicht kann. Aber wenn auch das Denken die in den Categorien enthaltenen Bestimmungen überall an den ihm dargebotenen realen Stoff heranzubringen suchen muß, so ist damit noch keine Sicherheit gegeben, daß die Anwendung dieser oder jener Categorie von Fall zu Fall des rechten Punktes nicht verfehle. Das Reale in anderen als durch die Categorien überhaupt vorgezeichneten Formen zu denken, ist uns unmöglich. Ob aber in einem gewissen Complexe concreter Erscheinungen Motive liegen, sie gemäß dem durch irgend eine bestimmte Categorie (z. B. die der Causalität) vorgezeichneten Verhältnisse auf einander zu beziehen, ist eine Frage, die oft nur durch eine ganze Reihe verwickelter Denkoperationen zu lösen ist. Dazu kommt, daß, der Irrungen nicht zu gedenken, die durch Sinnestäuschungen entstehen, das Moment der Freiheit selbst eine Zufälligkeit in das Denken bringt, die wieder nur von ihm durch eine fortwährend über sich ausgeübte Kritik corrigirt werden kann.

Hier beginnt nun die Wirksamkeit der eigentlichen logischen Gesetze. Auch sie dulden keine Appellation von sich, und hinsichtlich der peremtorischen Strenge ihrer Forderungen stehen sie hinter den Categorien nicht zurück. Doch deuten sie nicht etwa Wege an, auf welchen

das Denken von selbst sich bewegt, sondern solche, die
es selbstbewußt und frei verfolgen soll. Hierdurch und
vor Allem darin, daß sie nicht, wie die Categorien, unmittelbar an das Reale, sondern zunächst an das Denken sich wenden, sind sie von jenen wesentlich verschie-
ben. Denn ihre Aufgabe ist gerade, den richtigen Ge-
brauch der Categorien dadurch zu überwachen, daß sie
die Verhältnisse der Gedanken gemäß der vorausgegange-
nen Prüfung ihres Inhaltes zu bestimmen lehren, so
wie überhaupt zu bewirken, daß das Denken sowohl
in seinen einfachsten Verrichtungen, wie in dessen compli-
zirtesten Operationen im Großen durchgängig eine mit
sich übereinstimmende Thätigkeit entfalte. Demnach sind
auch die Ansprüche der Categorien und logischen Gesetze auf objektive Giltigkeit verschiedener Art. Was die
ersteren betrifft, so liegt in ihrer unmittelbaren Beziehung auf das Seyn, und in der Weise, wie sie mit dem
Denken von seinen primitivsten Anfängen unzertrennlich
verschmolzen sind, die Aufforderung, in ihnen geradezu
die Formen des Realen zu erkennen. Denn die Verhältnisse, darin das Denken nicht umhin kann, das
Wirkliche vorzustellen, müssen eine Wahrheit seyn,

wenn es überhaupt eine solche für uns geben soll. Aus dem nämlichen Grunde erklärten wir schon oben die Objektivität derselben für eine schlechthin vorauszusetzende Thatsache, und unsere teleologischen Erwägungen bestärkten uns in dieser Ansicht. Unstreitig enthalten die Categorien die Grundverhältnisse, nach denen gemäß dem göttlichen Schöpferwillen das Seiende sich zu entwickeln, und mithin auch das Denken das Entwickelte zu begreifen hat. Wenn also durchaus von einer Identität zwischen Seyn und Denken die Rede seyn soll, so müßte es an dieser Stelle und in diesem Sinne geschehen. In diesen Grundbestimmungen decken sich beide; von nun an weichen sie jedoch auseinander, ohne deßhalb sich zu widersprechen, sondern die Congruenz macht bloß einem Parallelismus Platz. Es handelt sich nämlich auf der einen und andern Seite um ganz Verschiedenes; im Seyn um wesenhafte Verwirklichung jener vorbestimmten Verhältnisse — im Denken um formalisirende Erkenntniß der bereits aktuell vorhandenen. Die Prozesse, durch welche diese, wenn auch correlaten, doch innerlichst differenten Resultate erzielt werden sollen, können daher nicht identisch seyn, und

eben so wenig die Gesetze, nach denen jene Prozesse
vor sich gehen. So ist unverkennbar in der Form gar
vieler Urtheile der reale Zusammenhang eines Allgemeinen mit dem Besonderen, davon jenes unmittelbar sein
Daseyn hat — und in der des Schlusses die fortschrei-
tende Entwicklung nachgebildet, wie ein substantiell
Allgemeines — die Natur — durch eine Reihe vermit-
telnder Zwischenstufen hindurch aus seiner ursprünglichen
Unbestimmtheit in einen immer enger sich zusammenschlie-
ßenden Kreis von Bestimmungen bis zur individuellen
Besonderung herniedersteigt. Aber die Gewalt, mit der
das einmal gesetzte Subjekt seinen Inhalt von ihm zu
prädiziren nöthigt, ist mit der lebendigen Triebkraft
nicht zu verwechseln, welche das Wesen zwingt, in einer
Fülle von Erscheinungen sich aufzuschließen — und eine
andere Vermittlung waltet in dem Vorgange, wodurch
z. B. gemäß einem (von der spezifischen Qualität der
Atome abhängigen) Typus aus der flüßigen Mutterlauge
das von regelmäßigen Flächen begrenzte Kristallindivi-
duum hervorschießt, und in der Thathandlung des Denkens, welche, den einzelnen Fall unter die allgemeine
Regel subsumirend, die Form des werdenden Produktes

im voraus erschließt; eine so nahe Beziehung auch hier und dort die beiderseitigen Bewegungen einander verbinden mag. Keineswegs sind also die logischen Formen und Gesetze als solche schon die des Seyns selbst, aber sie laufen mit diesen paralell und spiegeln sie in sich ab.

Hier dürfte es an der Zeit seyn, die Resultate unserer Verhandlungen über die, im Eingange aufgeworfenen Fragen wieder auf ihre gemeinsame Veranlassung zurückzubeziehen. Mit Recht wurde die Logik eine Wissenschaft von den Gesetzen des Denkens genannt. Denn nicht soll sie an die Stelle der Metaphysik sich drängen, und in der Erforschung des Wesens der Dinge, und seiner realen Entwicklung ihre unmittelbare Aufgabe suchen; sondern mit dem Denken, dessen Prozessen, und wie es durch sie seine Zwecke verwirklicht — damit hat sie es vor Allem zu thun. Das Denken in seine elementaren Funktionen zu zerlegen, die Combinationen darzustellen, darin jene sich verflechten, endlich die Thätigkeit bis dorthin zu verfolgen, wo sie, alle ihre Mittel zusammennehmend, eine Mannigfaltigkeit gegebener Erkenntnisse zu dem organisch-gegliederten Ganzen einer

Wiſſenſchaft geſtaltet — zugleich aber überall die Re=
geln feſtzuſtellen, durch welche im Kleinen wie im Gro=
ßen, im Einzelnen wie im Geſammten innere Überein=
ſtimmung geſichert wird: — dieß Alles iſt zuverläßig ein
weſentlicher Theil ihres Berufes, wenn dieſer auch da=
durch noch nicht vollſtändig bezeichnet wird.

Um nun jene Aufgaben zu löſen, muß ſie allerdings
an dem Denken zunächſt das T h u n, d. i. ſeine F o r m
ins Auge faſſen, und gewinnt hierdurch den Charakter
einer formalen Disciplin.

Die formale Logik möchte daher in ihrem Rechte
geblieben ſeyn, hätte ſie mit dem Prädikate, das ſie ſich
beigelegt, nur dieſen Geſichtspunkt hervorheben wollen.
Nirgends aber lag in der Anfgabe, die Form der Denk=
thätigkeit in wiſſenſchaftliche Betrachtung zu ziehen, zu=
gleich die Forderung: excluſiv n u r dieſe Form zu ſiri=
ren, abgeſtreift von dem Prinzipe, das in ihr ſein We=
ſen offenbart, und von dem Inhalte, mit dem ſich zu
erfüllen ſie die Beſtimmung hat. Denn die Logik mußte
ſich ſchon durch ihren Rahmen, geſchweige durch die Ein=
ſicht in ihren wahren Begriff daran erinnern laſſen, daß
ſie eine Vernunftwiſſenſchaft· ſeyn, folglich eine v e r=

nünftige, d. i. eine solche Behandlung ihres Gegen=
standes wählen soll, welche diesen aus seinen Gründen
zu begreifen sucht. —

Die Formen des Denkens mit denen des Seyns
nicht schlechthin zu identifiziren, und dennoch den Zusam=
menhang sich fortwährend präsent zu erhalten, welcher
in dem realen Füreinander Beider gegeben ist — also
zwischen den Klippen einer widernatürlich lähmenden
Selbstbeschränkung von der einen, und der über=
greifenden Präsumtionen von der anderen Seite die
allerdings schwierige Durchfahrt zu bewerkstelligen —
dies scheint uns die einzig richtige Fassung des von der
Logik zu lösenden Problemes. Das Mittel des Gelin=
gens, dadurch sie zugleich vor dem Vorwurfe, die Rolle
der Metaphysik sich anzumaßen geschützt werde, möchte
in dem einfachen Canon liegen, daß die Punkte, wo
in ihr die Betrachtung des Seyns, (es mache sich die=
ses als Subjekt oder als Objekt geltend), einzugreifen
hat, so wie der Raum, welcher solchen Erörterungen
zu gönnen ist, durch das Bedürfniß sich müssen bestim=
men lassen, welches von dem Streben nach dem Ver=
ständnisse der Denkformen selbst erzeugt wird.

Metaphysische Untersuchungen und selbst psychologische Seitenblicke werden sonach nicht zu vermeiden seyn, doch dürfen sie nur als Mittel, nie als Zweck auftreten. Die Logik legt es nicht darauf an, Metaphysik zu treiben, aber sie läßt sich auch durch keinen Registraturzwang davon abhalten, Erkenntnisse (deren sie unumgänglich bedarf), unmittelbar selbst aus den Quellen zu schöpfen (*). Wer gegen alle billigen Forderungen taub auch in einem, innerhalb dieser Schranken sich haltenden Verfahren nur die rechtswidrige Verrückung unantastbarer wissenschaftlicher Grenzbestimmungen erblickte, und zwischen den philosophischen Doktrinen wie zwischen mißgünstigen Nachbarländern ein unnützes, weil am Ende doch nicht durchzuführendes Absperrungssysten festhalten wollte, der mag für den, beiden Theilen zugefügten Schaden mit

---

(*) „Das Abpflöcken der Felder der Wissenschaften mag „seinen großen Nutzen haben bei der Vertheilung unter die „Pächter; aber den Philosophen, der immer den Zusam„menhang des Ganzen vor Augen hat, warnt seine nach „Einheit strebende Vernunft bei jedem Schritte, auf keine „Pflöcke zu achten, die oft Bequemlichkeit und oft Einge„schränktheit eingeschlagen haben.“

Lichtenberg.

der scheinbaren Ordnung trösten, die er gerettet zu haben wähnt. Die wahre Ordnung ist jedoch die, welche den natürlichen Verhältnissen folgt. Das Ideal jener vermeintlichen hingegen fände sich im absolut Leeren verwirklicht. Denn das Nichts hat allerdings von sich selber keine Beunruhigung zu fürchten. Und was nützt es, Alles säuberlich in Fächer einzutheilen, wenn das in den einzelnen Eingezwängte durch die künstliche Isolirung bedeutungslos wird!

Ist ja doch auch anderwärts nirgends eine so unbeugsame Abmarkung zu finden. Niemand bestreitet z. B. die Spezialität der Physik gegenüber der der Chemie, und dennoch ist jede von beiden bemüßigt, Untersuchungen und Resultate aufzunehmen, die auf dem Gebiete der andern heimisch sind. Das Lebendige spottet überall der Ringmauern, darin man es sicher einzufangen gedachte. Die künstlichen Systeme in den descriptiven Naturwissenschaften wissen gleichfalls davon zu berichten. —

An die Darstellung des Verhältnisses der Logik zur Metaphysik mögen sich hier noch einige Bemerkungen über ihren Zusammenhang mit den anderen philosophischen Disciplinen anreihen. Was zuvörderst die E t h i k

betrifft, so steht sie zwar mit der Logik in keiner sol=
chen Verbindung, daß die eine den Inhalt der anderen
theilweise zu dem ihrigen machen müßte; dennoch fehlt
es nicht an einer nahen Beziehung zwischen Beiden. Diese
liegt in dem Charakter der Freiheit, der dem Handeln
und Denken gemeinsam ist, daher auch die Wahrheit
des letzteren zugleich zur sittlichen Aufgabe wird. Die
logischen wie die ethischen Gesetze drücken nur ein Sol=
len, kein Müssen aus, und es kann beiden widerspro=
chen werden. Die Folgen eines solchen beharrlichen und
allseitigen Widerspruches wären aber dort: das ungezü=
gelte Spiel psychischer Vorstellungsthätigkeit, das in
seiner höchsten Steigerung zur Narrheit wird; hier: die
ungezähmte Macht des Sinnentriebes, die bis zur Raserei
der Leidenschaft drängt — in beiden Fällen mit dem gei=
stigen Tode die blinde unumschränkte Herrschaft der Na=
turgewalten.

Zahlreicher und mehr in die Augen fallend sind die
Berührungspunkte zwischen der Logik und Psychologie. —
Doch unterscheidet sich die psychologische Behandlung des
Denkens wesentlich von der logischen. Obgleich nämlich
die Psychologie, wenn sie anders wissenschaftlich zu Werke

geht, sich auch nicht mit einer bloß beschreibenden Zusammenstellung empirisch gegebener Thatsachen begnügt, sondern theils aus ihnen das Wesen des Menschen auf analytischem Wege zu erschließen, theils sie auf dieses zurückzubeziehen und synthetisch aus ihm wieder zu gewinnen sucht; so waltet dennoch in ihrem ganzen Verfahren ein, man möchte sagen, historisch-pragmatischer Charakter vor. Diesen beurkundet sie zuvörderst nicht nur, indem sie dem Werden jeder von ihr erörterten Thätigkeit und den Bedingungen nachforscht, von denen ihre Entwicklung abhängt, sondern vornämlich dadurch daß sie, gleichwie der Anatom dem Laufe eines Nervens durch seine zahlreichen Anastomosen nachgeht, so die einzelne Thätigkeit durch alle Erscheinungen verfolgt, welche das Resultat ihres mannigfaltigen Zusammenwirkens mit anderen Thätigkeiten sind, um auf solche Weise ihrer höchsten Aufgabe entsprechend, das gesammte menschliche Daseyn wo möglich in Einer Totalanschauung zu vereinigen. So liegt ihr ob, insbesondere rücksichtlich des Denkens nachzuweisen: welche Vorarbeit schon der Mechanismus niederer Vorstellungsprozesse dafür liefert, welche Ein-

flüffe es noch ferner von hier aus erfährt, die Rückwir=
kungen, die es darauf ausübt, wie dasselbe sodann als
Faktor bei allen höheren Lebenserscheinungen des Men=
schen sich betheiligt, und wieder von diesen sowohl als
von anderer Seite her theils in förderlicher theils in
hemmender Weise influenzirt wird. Ja die Pfychologie
wird sogar bisweilen nicht verschmähen dürfen, die Höhe
jenes Standpunktes zu verlassen (von dem aus sie nur
das Allgemeine der Menschennatur überhaupt ins
Auge faßt), um die Ursachen mancher Erscheinungen in
concreten Zuständlichkeiten aufzusuchen. Hingegen setzt die
Logik das Denken von vornherein als ein fertiges und
vollständig entwickeltes voraus, indem sie es als solches
möglichst rein für sich aufzufaffen trachtet, also nicht bloß
von allen individuellen Bestimmungen des empirischen
Subjektes unabhängig, sondern auch unvermifcht mit an=
deren Funktionen, auf deren Betrachtung sie nur dort
sich einläßt, wo der Zweck: die Natur des Denkens im
Allgemeinen, oder den Ursprung und die Bedeutung ein=
zelner Denkformen zum Verständniß zu bringen, zu sol=
chen Ercurfen nöthigt. —

Zn Einer, wenn auch mehr äußerlichen Rückficht

treffen jedoch Psychologie und Logik vollständig zusammen: nämlich in der Gemeinschaftlichkeit des Schicksals, daß es Beiden kaum gelingen will, sich einen bestimmten und unbestrittenen Platz im philosophischen Lehrsysteme zu erringen. Denn während die Einen sie in den esoterischen Verband aufnehmen, finden sich Andere noch immer geneigt, sie eher für exoterische Disciplinen zu erklären.

Zweierlei Umstände mögen dieß veranlassen. Erstlich die bloß erzählende und beschreibende Weise, darin man sie häufig vortrug, wodurch ihr wissenschaftlicher Charakter fast gänzlich verwischt werden mußte; eben weil selbst eine ungefähre und ganz oberflächliche Kenntniß ihres Inhaltes dennoch schon manchen Nutzen theils für die allgemeine Bildung überhaupt, theils für besondere pädagogische Zwecke versprach. So entstanden Darstellungen, welche keineswegges bestimmt und fähig waren, der Wissenschaft zu dienen, sondern entweder die unentbehrlichsten Kenntnisse allgemeiner zugänglich machen, oder insbesondere das philosophische Studium einleiten wollten. Das Verdienstliche solcher Arbeiten kann jedoch immerhin zuge-

ſtanden werden, ohne daß ſich hieraus irgend ein Prä-
judiz für die Entſcheidung der Frage ergäbe: welche
Stellung Pſychologie und Logik als Wiſſenſchaften
einzunehmen haben. Denn der wiſſenſchaftliche Standpunkt hat mit dem pädagogiſchen nichts gemein, und
weil ſo zu ſagen der Rohſtoff beider Doktrinen ſich als
Vorbereitungsmittel benützen läßt, iſt man noch
nicht berechtigt, ſie ſelbſt zu bloßen Propädeuti-
ken herabzuſetzen. —

Hier ſcheint zugleich der paſſendſte Ort, des ver-
wandtſchaftlichen Verhältniſſes zwiſchen der Logik und
Grammatik zu gedenken, welches ſchon im Alter-
thume durch die ungetrennte Behandlung beider Disciplinen anerkannt, und neuerlichſt wieder von den ge-
wichtigſten Stimmen geltend gemacht wurde. Daß für
den Menſchen Denken und Sprache unzertrennlich ſind,
Eines nicht ohne das Andere entſteht, und nur gleichen
Schrittes mit ihm ſich entwickelt, beweiſen unzählige
Thatſachen, und dürften ſich auch (wie in Zukunft
verſucht werden ſoll) die Gründe dieſes innigen Zuſam-
menhanges in dem Weſen der menſchlichen Denkthätigkeit nachweiſen laſſen. Von ſelbſt leuchtet daher ein, daß

in den Formen der Sprache die des Denkens niederge=
legt seyn müssen, und mithin eben sowohl jene als Er=
kenntnißquelle für diese benützt werden, als umgekehrt
die letzteren dazu verhelfen können, das Schwankende
oder Mangelhafte in den ersteren festzustellen, oder zu
ergänzen. Doch ist wohl in beiderlei Hinsicht nicht ohne
Behutsamkeit zu verfahren. Denn was zuvörderst die
Zurechtsetzung der Sprache nach den logischen Formen
betrifft, so möchte in der eintönigen Genauigkeit dieser
letzteren häufig ein, die gegenseitige Ausgleichung wenn
nicht ganz vereitelndes, so doch erschwerendes Hinder=
niß liegen. Denn die Sprache hat nicht bloß dem In=
teresse des Verstandes zu dienen, und in scharfausgepräg=
ten Worten die klaren und bestimmten Produkte eines
strengen und parteilosen Denkens wiederzugeben; son=
dern alle ins Bewußtseyn fallenden Erregungen un=
seres Lebens, das Zarte und mitunter Verschwommene
des Gefühls, der scheinbar regelwidrige Schwung der
Fantasie, die einseitige Heftigkeit der Begierde wollen
darin gleichmäßig vertreten seyn. Auf solche Weise wer=
den oft Beziehungen zwischen Vorstellungen eingeleitet,
die mit denen, welche das Denken festsetzen und zum

Inhalte seiner Formen machen würde, keineswegs zusammenfallen; weßhalb auch die Sprache, während sie an die letzteren sich bindet, ihnen oft durch ihre Darstellungsmittel eine größere Elastizität zu ertheilen, und durch Umstellung der Worte oder durch die Mannigfaltigkeit der Betonung ihre ursprüngliche Enge zu erweitern sucht. Ein übel angebrachter logischer Purismus würde sie ihrer feinsten Nüancirungen, und insbesondere ihres poetischen Reizes berauben, da oft gerade die Unbestimmtheit eines Ausdruckes ihn zum treuen Spiegel des zu bezeichnenden Gefühles macht, oder der Fantasie einen freien Spielraum eröffnet. Von einem richtigen Instinkt geleitet, hat daher die Sprache allen solchen Zumuthungen, die Gedanken zu uniformiren, immerdar standhaft sich widersetzt, und manche charakteristische, wenn auch gegen die intendirte logische Zucht verstoßende Redeweisen dennoch sich nicht verleiben lassen.

Auf ähnliche Mißgriffe scheint ein ausgezeichneter Sprachforscher (*) mit dem Vorwurfe anzuspielen, daß die Logik bisher der Grammatik wenig Gedeihen brachte. Doch sollte wohl von jenen Verkehrtheiten abgesehen, und

(*) C. F. Becker's Organismus der Sprache. S. 26.

im Allgemeinen, bei der Verschiedenheit der beiderseits zu
erfüllenden Ansprüche, von der Logik weniger ein unmit=
telbarer Einfluß auf die Grammatik, als der mittelbare
erwartet werden, welcher nicht das lebendige Wort durch
die grammatikalische Theorie, sondern umgekehrt diese
durch jenes bewältigt, und zwar so, daß das logisch
gebildete Denken allgemach die Sprache durchdringe, wo
dann von selbst die Wirkung auch in der Grammatik zum
Vorschein kommen muß. Wenn aber jener Gelehrte die
weitere Frage stellt: ob überhaupt die Grammatik mehr
von der Logik, oder diese von jener zu lernen habe, so
verlangt die Billigkeit, daß die bemerkte Divergenz der
Richtungen nun auch im Interesse der Logik geltend ge=
macht werde. Denn zuvörderst enthalten die Formen kei=
ner Sprache die logischen rein, sondern vielfältig ver=
setzt mit all der empirischen Zuthat, welche der eigen=
thümliche Bildungsgang jedes individuellen Idioms
daran heftet. Wollte man aber eines von aller störenden
Beimischung möglichst freien Resultates dadurch sich ver=
sichern, daß man mit Hilfe der vergleichenden Sprach=
wissenschaft überall die Wurzelwörter aufsuchte, darin
die ursprünglichsten Denkhandlungen am reinsten ausge=

prägt seyn müssen, so würde man, weil die Sprache mit dem Denken auf gleicher Linie sich hält, in den Erstlingen der einen auch nur den Anfängen des anderen begegnen. Nun ist es zwar für das metaphysisch-psychologische, und insofern mittelbar auch für das logische Interesse von Wichtigkeit, an das Stadium der beginnenden Entwicklung des Denkens anknüpfen zu können; strenge genommen liegt aber der logische Standpunkt höher, und hat jene Stufe gewissermaßen als eine bereits überwundene hinter sich, da die Logik es eigentlich mit dem Denken nicht als einem werdenden, sondern wie mit einem vollendeten Organismus zu thun haben will. In der That genügt auch die Form, in der jene ersten Wortbildungen ihren Denkinhalt darstellen, den logischen Forderungen so wenig, daß die Logik sie vielmehr einer Bearbeitung und Correction unterziehen muß. Wenn z. B. geistreiche Forschungen in allen jenen Wurzelwörtern Verben entdecken, so ergibt sich aus dieser Thatsache allerdings der Schluß: daß nicht das ruhende Seyn, sondern das Werden, die Bewegung, den primitivsten Inhalt menschlicher Vorstellungen ausmacht — eine Folgerung, die übrigens mit dem allgemeinen Geſetze zuſammenſtimmt, gemäß welchem der Menſch überall nur mittelſt eines, von der Erſcheinung ausgehenden Schluſſes das in ihr ſich bethätigende Weſen zu erreichen vermag. Allein daß die Thätigkeit früher Gegenſtand unſerer Vorſtellung wurde, als ihr Prinzip, hindert dennoch das Denken nicht, dieſes als die Vorausſetzung von jener anzuerkennen. Wenn alſo auch die Sprache die Subſtantiven aus den Verben gebildet hat: die Logik muß die Ordnung umkehren, und die Setzung des durch das Verbum bezeichneten Begriffes von der im Subſtantiv ausgeſprochenen abhängig erklären. Und wenn ferner das noch unvollſtändig entwickelte Denken alle Momente eines Urtheiles in einen einzigen verbalen Ausbruck ungehindert zuſammenrafft — wie denn Ähnliches fortwährend in den ſogenannten Exiſtenzialſätzen ſich wiederholt, wo auch nur die unvollkommene Erkenntniß der Subſtanz der Erſcheinung es an einem ſubſtantiviſchen Ausbrucke fehlen läßt — ſo tritt auch hier die Logik corrigirend dazwiſchen, indem ſie die involvirten Momente zur Unterſcheidung bringt, oder, falls eine beſtimmte Darlegung derſelben nicht gelingen will, wenigſtens die ſtrenge Gliederung des vollkommen

ausgebildeten Urtheiles jener mangelhaften Form entge=
genhält. So haben beide Disciplinen: Logik und Gram=
matik, eine jede ihr eigenthümliches Ziel, dem sie auf
getrennten Wegen zustreben, wobei jedoch die Verwandt=
schaft ihres Gegenstandes sie in den Stand setzt, sich
unbeschadet der Selbstständigkeit ihrer Bewegungen ge=
genseitig mannigfache Unterstützung zu leisten. Insbeson=
dere muß der Logik nicht bloß der früher besprochene
Gewinn zu Statten kommen, der aus den Erfolgen der
höheren Sprachwissenschaft zunächst für die metaphysisch=
psychologische Erforschung des Denkens entspringt, son=
dern sie wird aus dem gleichzeitigen Studium der gram=
matischen Formen unmittelbar alle jene Vortheile schö=
pfen, welche, die praktische Anwendung theils veranschau=
lichend, theils sogar zurechtweisend oder ergänzend überall
der abstrakteren Theorie gewährt. Eine Bereicherung der
logischen Formen hingegen mit Hilfe der Grammatik,
von der hier und da die Rede gewesen, dürfte demunge=
achtet kaum zu hoffen seyn, da zwar nicht das wissen=
schaftliche Verständniß, wohl aber der Kreis jener For=
men längst erschöpft scheint.

Meistens wird in den Einleitungen zu den Com=

pendien der Logik zuletzt noch ihr Nutzen besprochen. Versteht man darunter die Bedeutung derselben als Wissenschaft, so muß diese aus jeder halbweges gelungenen Darstellung ihres Begriffes von selbst sich herauslesen lassen. Meint man aber damit mehr den praktischen Gewinn, der aus dem Studium der Logik für das alltägliche Leben sich ziehen lasse, so wolle man nur vor Allem davon abstehen, sie etwa als eine Elementarschule des Denkens zu behandeln. Die Logik, wenn sie anders mit wissenschaftlichem Ernst auftritt, lehrt so wenig erst denken, daß sie vielmehr nur ziemlich geübte Denker in die Reihe ihrer Schüler aufnehmen kann. Hiermit soll nicht geläugnet werden, daß sich die Elemente der Logik zu dem pädagogischen Zwecke zusammenziehen lassen, um vorerst an ein strenges und geregeltes Denken zu gewöhnen. Allein es ist schon oben darauf hingewiesen worden, daß die speziellen Tendenzen irgend eines Lehrplanes mit der Aufgabe, welche eine Wissenschaft selbst an sich stellt, nicht verwechselt werden dürfen. Übrigens wenn die Logik ihren Werth durchaus vor einer utilitarischen Schätzung zu legitimiren hätte, könnte sie immerhin das Zeugniß hinnehmen, das

ihr Kant als einem Canon und Cathartikon des Ver=
standes und formalen Organon aller Wissenschaften aus=
gestellt hat (*). Einfacher wäre vielleicht, wie gleich
im Eingang geschah, darauf aufmerksam zu machen: daß
ein gründliches Studium der Logik, indem es die Selbst=
kenntniß fördert, auch eben deßhalb praktisch sich erweist,
da jede ihrer eigenen Gesetze bewußte Thätigkeit an
Ordnung und Sicherheit gewinnen muß.

(*) Vergl. Krit. d. rein. Vern. Elementarlehre II. Theil.
Einleit. I. Kant's Logik, herausgegeb. v. Jäsche. Einleitung.

Ende.

Ueber den Begriff

der Logik

und ihre Stellung zu den anderen philosophischen
Disciplinen.

Von

Dr. Johann Heinrich Loewe,

Professor der Philosophie am k. k. Lyceum zu Salzburg.

Wien, 1849.

Wilhelm Braumüller,

k. k. Hofbuchhändler.

Von dem hochwürdigen Hrn Verfasser Dr. Veith erschienen
früher in meinem Verlage:

Die Heilung
des
Blindgebornen
in 12 Vorträgen.
1846. 1 fl. 20 kr. C. M. — 1 Rthlr.

Festpredigten
zumeist in einer Doppelreihe.
1842. 2 Bde. Geh. 2 fl. 40 kr. C. M. — 2 Rthlr.

Die Erweckung
des
Lazarus
in 12 Vorträgen.
1842. 1 fl. C. M. — 22½ Ngr.

Erzählungen und Humoresken.
3 Bde. 2te vermehrte Aufl. Neue Ausg. 1848.
Geh. 3 fl. C. M. — 2 Rthlr. 7½ Ngr.

☞ Außer obigen sind noch alle andern
Werke des hochwürdigen Herrn Domherrn
Dr. **Veith** in meiner Buchhandlung vorräthig.

Demnächst erscheinen:

Die Säulen der Kirche,
zwölf Fastenvorträge des Jahres 1847.

Wien, 1849.

Wilhelm Braumüller,

k. k. Hofbuchhändler.

Gedruckt bei Ant. Benko.